RESTER GROUPÉS

Sophie Hénaff est responsable de la rubrique humoristique « La Cosmoliste » du magazine *Cosmopolitan*. Elle a fait ses armes dans un café-théâtre lyonnais (L'Accessoire) avant d'ouvrir avec une amie un « bar à cartes et jeux de société », le Coincoinche, puis, finalement, de se lancer dans le journalisme. *Poulets grillés*, son premier roman, a reçu le prix Polar en séries, le prix Arsène Lupin en 2015, et le Prix des Lecteurs du Livre de Poche dans la catégorie policier en 2016. Il est en cours d'adaptation pour la télévision.

Paru au Livre de Poche :

POULETS GRILLÉS

SOPHIE HÉNAFF

Rester groupés

ROMAN

ALBIN MICHEL

© Éditions Albin Michel, 2016.
ISBN : 978-2-253-09244-5 – 1re publication LGF

À ma toute petite meute, encore.

« Les phénix pataugeaient dans la cendre. »

Eva Rosière,
dans *Laura Flammes et les poulets grillés*.

Prologue

24 novembre 2012, dans le Vaucluse

Jacques Maire longeait le canal qui traversait L'Isle-sur-la-Sorgue. Il comptait les canards. Les herbes vertes qui coloraient l'eau transparente se balançaient mollement, disparaissant parfois sous les scintillements du soleil. La rivière paisible berçait quelques barques et invitait le promeneur au ralentissement.

Avec son sourire confiant de bienfaiteur du village, Jacques répondit au salut lointain d'un employé de la bibliothèque, puis il obliqua sous les platanes pour rejoindre la boulangerie. Sur la place, la dalle de marbre du monument aux morts attira son attention. Une gravure fraîche allongeait la liste. Une goutte de peinture dorée, encore humide, s'échappait de la dernière voyelle. On avait ajouté un nom.

Jacques Maire : 17 août 1943-25 novembre 2012.

25 novembre.

C'était demain.

1

La commissaire Anne Capestan se débattait avec la dernière arrivée des imprimantes défectueuses accordées par une direction du matériel espiègle. Têtue, la machine affichait « encre insuffisante » alors même que Capestan venait de renouveler la cartouche. Après avoir appuyé sur tous les boutons, la commissaire abdiqua. Elle n'avait rien de très important à imprimer. Elle ne travaillait sur rien de très important. Elle ne travaillait plus sur rien.

Après un début de carrière fulgurant, une médaille olympique de tir et la plus belle collection de galons jamais accrochés par une jeune commissaire, Capestan avait intégré la brigade des mineurs sans savoir que ce serait la limite de sa résistance émotionnelle. Là, sur une affaire plus cruelle que les autres, elle avait fini par abattre un suspect, purement et simplement. « La bourgeoise qui dévisse, la douceur kalachnikov », comme disait sa collègue Rosière, n'avait échappé au renvoi que pour prendre la tête de cette unité de policiers au rebut, une idée de Buron, le grand patron qui avait nettoyé la Judiciaire en rassemblant tous les indésirables dans un seul et même service.

La résolution de leur première affaire, le mois précédent, loin d'apporter aux poulets grillés une considération nouvelle, les avait au contraire enterrés sous une seconde couche de dédain. Des donneurs de flics. Voilà ce qu'ils étaient devenus. Des traîtres. Une étiquette ultra-urticante qui collait des démangeaisons à la conscience de Capestan, à son orgueil aussi.

Le commandant Lebreton, lui, s'accommodait de la situation avec son flegme coutumier. Il avait déjà essuyé le mépris des collègues, puisque après avoir connu la gloire du Raid, la révélation de son homosexualité l'avait fait passer à l'Inspection générale des services, où le costume de Judas tenait lieu d'uniforme. Là, inconsolable après la perte de son compagnon, il avait moins facilement encaissé les discriminations. Une plainte déposée contre son supérieur hiérarchique l'avait directement propulsé dans le placard imaginé par Buron. Pour l'heure, renversé dans son fauteuil, les pieds croisés sur son bureau, il parcourait *Le magazine du Monde* afin de se reposer de la lecture inutile des vieux dossiers d'affaires classées envahissant leur couloir. Un éclat de voix en provenance de la pièce voisine lui fit baisser son journal, il écouta une seconde, haussa les sourcils et reprit son article.

Il s'agissait d'une énième controverse opposant la volcanique Eva Rosière et l'insubmersible Merlot. Ils discutaient sans cesse, pas forcément de la même chose au même moment, mais cela ne semblait pas les gêner le moins du monde. On pouvait les entendre d'ici argumenter autour du billard, dernière acquisition en date de

14

la capitaine-romancière-scénariste millionnaire qui, du 36 au Parquet, avait vexé tous les cadors qu'elle intégrait à ses feuilletons pour mieux les ridiculiser. Depuis qu'elle avait débarqué dans cette brigade de la rue des Innocents, elle aménageait les locaux avec une retenue de plus en plus relative. Quand, la veille, elle avait évoqué l'achat d'un baby-foot pour distraire Dax et Lewitz, Capestan lui avait demandé si elle comptait aussi faire payer l'entrée du commissariat ou distribuer des jetons. Merlot, qui se tenait à leurs côtés, avait semblé étudier la question sans en saisir l'ironie. Rosière, fin stratège sous ses airs de butor, avait reculé. Capestan ne doutait pas du caractère provisoire de la manœuvre.

La commissaire s'éloigna de l'imprimante pour gagner ce qui était donc devenu la « salle de jeux » avec l'apparition du billard anglais, de sa lampe rectangle à franges, des quatre fauteuils club, du râtelier et d'un magnifique bar au comptoir de chêne massif assorti de ses tabourets. Eva avait dégainé des arguments massues : « Maintenant c'est réglé, Anne, il n'y a plus un pékin qui voudra rejoindre la brigade. Autant meubler l'espace, ça fera moins triste. » La pièce en effet ne dégageait plus la moindre tristesse, ni d'ailleurs le moindre espace.

Son mètre cube bien ancré au sol, une expression de mâle fierté sur le visage, Merlot, ancien capitaine de la Mondaine, alcoolique franc-maçon à l'entregent bien rodé, se tenait droit sous la tempête, queue de billard dans une main, ballon de rouge dans l'autre. Des traces de craie bleue maculaient son veston. Rosière poursuivait sa diatribe :

— … c'est pour tout pareil… Regarde la corne de

rhinocéros. Un jour y a un mou-du-plumard qu'a croisé un rhino, il s'est dit « Waouh, balaise, j'aimerais bien la même, ça se trouve il suffit de la piler et de la bouffer pour que ça marche ». Et depuis tous les bitoinquiets de la planète exterminent l'espèce pour ranimer Popaul.

Pilote, le chien de Rosière, assis à ses pieds, l'écoutait religieusement. Il tourna la truffe vers Merlot pour voir ce qu'il avait à répondre à ça.

— Exactement, chère amie ! La vitalité ! Je suis bien d'accord, c'est elle qui engendre vastes conquêtes et progrès scientifiques ! approuva le capitaine, le geste auguste, manquant éborgner de sa canne la lieutenant Évrard.

Celle-ci, renvoyée de la brigade des jeux pour addiction au tapis vert, se tenait la hanche appuyée à la table et attendait stoïquement la fin de la conversation en pianotant sur le bois brillant. Elle tournait le dos, plus ou moins volontairement, au lieutenant Torrez qui s'était rencogné dans un fauteuil au fond de la salle, sa queue de billard posée contre l'accoudoir. Capestan s'approcha de lui :

— Qui est-ce qui gagne ?

— Pour le débat ou la partie ?

— La partie.

— Dans ce cas c'est moi.

— Tu joues avec qui ?

Torrez se renfrogna :

— Moi.

Torrez, une fois encore, ne faisait équipe avec personne, ils avaient préféré disputer la partie à trois contre un. C'était un progrès, il y a seulement un mois, il n'aurait pu respirer l'air de la pièce sans en faire fuir chacun des occupants. Sa sinistre réputation de porte-malheur allait certes en s'amenuisant, mais par tout petits paliers. Chacun, y compris Torrez – surtout Torrez –, continuait d'observer des règles de saine prudence. Seule Capestan approchait à sa guise, ne tolérant pas qu'une quelconque superstition vienne entraver ses déplacements.

Le chant d'un grillon savourant le soleil s'échappa de la poche de Capestan. C'était son portable. Sur l'écran, le nom de Buron s'inscrivit. Un mois déjà s'était écoulé depuis le dernier appel du directeur de la Police judiciaire. Celui-ci l'avait prévenue que sa promesse était honorée et qu'une nouvelle voiture, dans un état correct, les attendait. Le brigadier Lewitz, maniaque du volant, l'avait assez rapidement cassée. Pour la suite, en attendant que les esprits des collègues et médias se calment, Buron avait recommandé à la brigade de faire profil bas. La commissaire avait objecté qu'il n'était déjà pas bien haut. Mais elle comprenait, un sas de temporisation était sans doute nécessaire.

Si Buron la contactait aujourd'hui, peut-être une bonne nouvelle se profilait-elle. Capestan décrocha.

— Bonjour monsieur le divisionnaire, qu'est-ce qui me vaut l'honneur ?

La stéréo d'Orsini, immuablement réglée sur Radio Classique, diffusait une sonate de Schubert. Pour une fois, le capitaine ne l'entendait pas. Absorbé, il aplanissait de la main une page du quotidien *La Provence*.

Le titre courait sur trois colonnes : « Jacques Maire, figure de L'Isle-sur-la-Sorgue, assassiné en pleine rue. »

Orsini prit ses ciseaux dans le porte-crayon et découpa l'article avec soin. Puis il ouvrit un tiroir et choisit une chemise cartonnée rouge dans laquelle il glissa le document. Il rabattit les élastiques, déboucha son feutre noir et le tint en suspension quelques secondes. Il ne savait trop quoi inscrire.

Finalement, il reposa le feutre et rangea la chemise, sans titre, dans le tiroir.

2

Sous son ciel opaque, la capitale avait revêtu ses oripeaux d'hiver. Une pluie fine et grasse contraignait les Parisiens à marcher tête basse, le regard fuyant sur le pavé, déjà abattus par cette journée qui commençait à peine. Le menton enfoncé dans sa grande écharpe chinée, couverte d'un épais manteau noir à capuche, Capestan manœuvrait parmi la forêt de parapluies des piétons de la rue Daguerre. Elle rejoignait à grands pas la rue Gassendi, entièrement coupée à la circulation sur la portion qui rejoignait la rue Froidevaux pour cause de scène de crime.

Le cadavre avait été découvert deux heures plus tôt, une affaire toute fraîche. Capestan, dont les caisses de dossiers périmés s'empilaient au bureau, se demanda ce qui lui valait cet honneur, ce retour aux actualités.

Les inévitables badauds se dévissaient le cou pour apercevoir un détail d'exclusivité derrière les bandeaux de sécurité et les épaules des policiers récalcitrants. La commissaire fendit la foule des commères, présenta sa carte en souriant et passa le barrage, cherchant du regard la haute silhouette du patron du 36. En plus des flics du secteur et de l'Identité judiciaire, elle identifia des lieutenants de la Criminelle, sans doute saisie de l'affaire, et remarqua un fourgon de la BRI curieusement stationné en haut de la rue. Si l'on ajoutait sa propre présence, on obtenait un panel de brigades un peu trop large pour un simple meurtre. Décidément, cette convocation l'intriguait.

Buron, les mains enfoncées dans les poches de son duffle-coat kaki, toisait l'agitation de ce petit monde d'un œil peu satisfait. À l'approche de Capestan, il esquissa un sourire aussitôt réprimé.

— Bonjour commissaire.

Celle-ci ôta sa capuche pour élargir son champ de vision et répondre au directeur.

— Bonjour monsieur le divisionnaire. De quoi s'agit-il ? On est nombreux en tout cas.

— Oui, très. Trop, compléta Buron en pivotant pour survoler l'assemblée fourmillante.

Capestan recala son menton sous son écharpe.

— Pourquoi vous nous appelez en surnombre ?

— Parce que la victime est un cador de la BRI. Et je sais déjà dans quelle voie cette brigade et la Crim vont s'engouffrer. Ils vont remuer toutes les vieilles rancunes du banditisme, creuser des histoires de flics depuis Broussard jusqu'à nos jours et négliger toutes les pistes qui ne servent pas la légende.

Le meurtre d'un cador… Une histoire qui ne servirait pas la légende… Capestan avait peur de comprendre.

— Monsieur le directeur, ne me dites pas qu'il va encore falloir taper sur un flic ? Les collègues nous jettent déjà des cailloux.

Capestan n'était pas spécialement attentive à son image de marque, ce qui, il fallait le reconnaître, tombait plutôt bien, mais à la longue la sensation de rejet usait les plus indépendants. Il fallait beaucoup de courage, ou beaucoup d'indifférence, pour se tenir le regard clair sous la désapprobation.

— Non, je ne vous demande pas forcément de « taper sur un collègue », simplement d'envisager l'ensemble des pistes, comme dans n'importe quelle enquête. Cela dit, oui, vous risquez de vous heurter à une certaine incompréhension.

Buron expira l'esquisse d'un soupir. Il frotta ses mains gantées l'une contre l'autre et se résolut à poursuivre en toute franchise :

— Pour ne rien vous cacher, ma volonté de vous rattacher à l'affaire n'emballe pas les foules. La Crim estime qu'elle n'a besoin de personne pour mener ses enquêtes et que c'est déjà bien suffisant d'avoir la BRI dans les pattes sans en rajouter avec les moutons noirs.

Capestan chassa une mèche humide de son visage.

— J'imagine bien. Mais, je ne comprends pas, le Parquet nous a saisis ? s'étonna Capestan.

Buron secoua la tête en fronçant les sourcils, et agita ses doigts dans l'air du matin. En langage de divisionnaire cela signifiait : « Non, pas tout à fait, restent quelques tracasseries administratives sans intérêt. » Capestan enregistra la seule traduction qui vaille : « Non. » Le Parquet ignorait jusqu'à leur existence et Buron, directeur de la Police judiciaire, les incrustait en douce. La commissaire s'interrogea une fois de plus sur les raisons de sa présence. Sans vouloir faire preuve d'une humilité excessive, elle savait que sur un cas pareil ils ne servaient à rien. La décision de Buron n'avait aucun sens.

— Pardonnez-moi d'insister, mais pourquoi nous avoir appelés, monsieur le directeur ?

Buron interrompit brusquement leur échange au passage d'un homme très grand, une montagne de muscles contenue dans une veste en cuir de la même nuance café au lait que le visage qui la surmontait. Visage assez beau, mais à l'expression fermée. Buron toucha le coude de l'homme pour l'intercepter. Celui-ci se retourna. À chaque mouvement sa masse immense déplaçait une ombre de gratte-ciel. Reconnaissant le directeur de la Police judiciaire, il s'arrêta net pour adopter une position proche du garde-à-vous. Le divisionnaire hocha la tête en signe d'appréciation et s'adressa à Capestan :

— Commissaire, laissez-moi vous présenter le lieutenant Diament de la BRI. Le groupe Varappe, n'est-ce pas ?

L'officier se redressa encore, manifestement fier de son appartenance à ce groupe d'action reconnu : ces policiers d'élite descendaient les immeubles en rappel et, retenus par leur filin, déboulaient armes à la main dans les planques des gangsters les plus aguerris. Vu le gabarit du bonhomme, ni les gangsters ni les filins ne devaient en mener large.

— Affirmatif, monsieur le directeur.

— J'ai appris que c'était également vous, lieutenant, qui serez chargé d'assurer l'interface entre la BRI donc, la Crim et la brigade de Capestan, n'est-ce pas ?

— Affirmatif, répondit-il d'une voix moins forte.

— Enchantée, lieutenant, fit Capestan, main tendue, en décochant un sourire aimable.

L'homme serra la main et hocha la tête, tout en évitant le regard de la commissaire. Plutôt que du mépris ou de la vexation d'être ainsi soumis à de piètres interlocuteurs, Capestan crut discerner une lueur de tristesse dans les yeux du lieutenant. Sans doute rien à voir avec le boulot.

— Dès que le procédurier aura établi les PV, le lieutenant vous en adressera une copie. Il vous tiendra informée des avancements de l'enquête dans les différents services et vous partagerez avec lui vos propres recherches, commissaire. Sur cette affaire, je veux que les forces vives de la Maison collaborent en toute transparence. Je peux compter sur vous ? Lieutenant ? Commissaire ?

D'un nouveau hochement de tête martial, Diament confirma. Capestan, elle, haussa les épaules avec un sourire amusé pour valider à son tour.

Tandis que le lieutenant prenait congé, Capestan, qui en démordait rarement, revint à l'objet de sa présence. Elle se tourna vers Buron :

— Je disais donc, pourquoi nous ?

Le directeur se contenta d'inviter la commissaire à le suivre. Ils se dirigèrent vers le cadavre, que l'on avait maintenant recouvert d'une bâche, et enfilèrent des chaussons de papier. Perché sur un escabeau, un officier de l'Identité judiciaire relevait les empreintes sur une plaque de rue. Son collègue patientait en dessous, dévisseuse à la main. La plaque n'indiquait plus « rue Gassendi », comme il se devait, mais « rue Serge-Rufus, 1949-2012, commissaire aux enfoirés ».

Soudain Capestan comprit pourquoi c'était à elle que Buron faisait appel.

3

Paul avait connu une gloire éclatante, puis sa fin. C'était encore assez récent, mais il serait bientôt considéré comme un has been. Ou peut-être l'était-il déjà, en la matière les premiers concernés étaient souvent les derniers avertis. C'est ce que cet appel inattendu d'une société de production laissait à penser en tout cas. Une émission de télé-réalité. Voilà ce qu'on lui proposait aujourd'hui, une émission de télé-réalité. Il avait refusé.

Bien sûr il avait hésité, une seule seconde. Longue. Humiliante. Les promesses de retour aux spots avaient cette force d'attraction, le pouvoir de Kaa. Mais Paul avait quitté le métier, cet aspect-là du moins. L'idée de revenir l'effleurait parfois, peut-être. Le moment venu, il s'y prendrait différemment. Pour l'instant, il avait un théâtre à gérer et une armée d'humoristes à régenter.

Remontant les manches de sa chemise beige, il s'installa derrière son bureau pour consulter ses mails. Il en avait une flopée d'Hugo, un de ses nouveaux poulains qui tentait de faire passer un ego avide de compliments pour de l'angoisse existentielle. Il le harcelait de messages et Paul se cala le dos dans son fauteuil, s'octroyant une minute de paix avant d'appeler. D'un geste machinal, il frotta sa joue et son menton pour évaluer la perfection du rasage.

Puis son regard, comme trop souvent, vint se poser sur l'affiche encadrée qui lui faisait face. Sur celle-ci, il avait vingt ans de moins. Il était entouré de ses deux amis d'enfance, avec qui ils formaient Les Blaireaux, l'un des trios d'humour les plus célèbres des années 1990.

Ils avaient cartonné et c'était mérité : du talent, du travail, et la chance avait comblé les vides. À l'époque, la réussite leur semblait normale, forcément éternelle, la suite logique d'une adolescence où le bon jean et une absence de boutons suffisent à assurer le statut de chef de bande. Dans le fond, la scène, c'était juste le public qui remplace les copains pour applaudir à vos blagues. La télé débarque ensuite, puis la fête tient lieu de routine. La célébrité est un aboutissement naturel, rien de plus. Ensuite il reste toute la vie pour réaliser la valeur de cet instant de grâce. Mais il s'est évaporé.

Les Blaireaux étaient alors dans l'air du temps. Ce même air qui plus tard les avait aspirés pour expirer une nouvelle mode : le stand-up. C'était venu doucement. Le trio s'était séparé. Paul avait investi dans un théâtre. Pensant qu'il aurait toujours un endroit pour jouer. Pas vrai. Sinon, il ne rentrait pas dans ses frais. Les gens le reconnaissaient toujours dans la rue bien sûr, simplement ils ne payaient plus pour venir le voir. Ils lui parlaient de ses vieux sketches. Qu'ils confondaient avec ceux des Nuls ou des Inconnus. C'est ça le public, on croit qu'il vous adule et il se souvient de travers. Ce doit être qu'il s'en fout.

Peu à peu, Paul avait commencé à produire de jeunes comédiens, puis d'autres. Tout en marquant une allégeance prudente, les jeunes loups le regardaient toujours un peu de haut, persuadés d'avoir inventé l'humour, le nouveau, celui de ce siècle. Paul s'était comporté exactement de la même façon au même âge.

Bon. Paul tapa du plat des mains sur son bureau. Rappeler Hugo, le petit con qui ascensionnait. Ses spectacles au moins étaient bénéficiaires. Paul se pencha pour récupérer son mobile, quand un texto s'afficha sur l'écran : « Bonjour. Tu es chez toi ? » C'était sa femme. Son ex-femme.

Instantanément, des larmes incongrues lui montèrent aux yeux. Il stoppa tout et retint sa respiration pour se concentrer et les faire refluer. Sa mâchoire se crispa, il s'en voulait d'en être encore là. Puis il ne put s'empêcher de revenir au portable, de le fixer comme s'il pouvait parler, expliquer, tout effacer, promettre une autre vie.

En quittant sa femme un an plus tôt, il avait lâché son dernier repère, sa dernière amie, le socle. Son seul amour aussi.

Son absence le hantait. Sa présence ailleurs dans la ville l'obsédait. La douceur, l'indépendance, l'envergure, et puis bien sûr son visage, et son corps, et ses nuits.

En la quittant, Paul savait qu'elle serait plus dure à abandonner que toutes ses gloires passées.

En fait de creux de la vague, il se sentit soudain sur le sable.

Il déverrouilla le clavier et d'un mouvement incertain, comme superstitieux, il tapa « Oui ».

Puis il attendit patiemment.

Quand la sonnerie de la porte d'entrée égrena ses trois notes, un sourire involontaire lui monta au visage.

4

Debout devant cette porte fermée qu'elle découvrait et dont elle redoutait l'ouverture, Capestan serrait les poings à l'abri de ses poches. Évidemment que c'était à elle d'être là. Elle n'avait pas envisagé une seule minute de se soustraire à l'instant. Mais elle luttait pour conserver une silhouette droite et chasser les instincts de colère qui pourraient grimper à mauvais escient. La tristesse et l'empathie la maintenaient heureusement dans une attitude décente.

Ainsi elle allait le revoir. Et visiter son nouvel environnement, puisqu'en partant il avait joué les grands seigneurs et lui avait laissé l'appartement. Rassemblant sa bonne foi, Capestan se corrigea, il n'avait pas *joué* les grands seigneurs, il avait *été* grand seigneur. Comme toujours. Cet appartement, elle le savait, représentait le dernier vestige d'une fortune insolente ramenée à des conditions ordinaires. Paul avait juste récupéré les meubles de ses grands-parents, le lave-linge, le lave-vaisselle. Avec un message derrière : c'est moi qui m'en servais.

Mais il avait aussi fui à la première difficulté, se planquant derrière un discours moralisateur fort arrangeant. Ce jour-là, elle avait tué un salopard, après en avoir estropié plus d'un autre, sa carrière s'était brisée et elle n'avait pas même exposé l'ombre d'un regret. Elle n'avait pas à commenter, elle ne voulait pas se justifier et surtout pas raconter. Paul avait attendu quelques minutes, puis il était parti.

Anne perçut les bruits de pas qui approchaient, elle se tendit et, autour, tout disparut.

La porte s'ouvrit sur le plus bel homme qu'elle ait jamais rencontré. Son mari. Paul semblait aspirer toutes les lumières de la ville. Lorsqu'il débarquait dans une pièce, c'était comme un feu d'artifice au milieu des LED. La maman de Paul, de nature humble pourtant, se rengorgeait à chaque apparition de l'astre : « On n'est quand même pas tombés loin avec son père : on a choisi le prénom de Newman, il a la tête de Redford. » Ce à quoi, le sinistre père répondait : « Ouais, une belle gueule d'acteur. » Soudain le compliment s'éteignait et la fierté brillait par son absence.

Et ce père était mort aujourd'hui, assassiné. À Capestan de l'annoncer.

Paul avait souri un instant en ouvrant, mais devant le visage fermé qu'elle devait offrir, ce sourire s'était rapidement évanoui. Elle ne venait qu'en messagère, porteuse d'une nouvelle qui tuait toute badinerie. Les retrouvailles seraient de glace et de plomb. Il fallait se lancer.

— Bonjour. Je peux entrer un moment ?

Il marqua une brève hésitation, amorçant une inclination pour l'embrasser sur la joue, puis se redressa devant la raideur de Capestan. Finalement, il s'effaça pour la laisser passer, sans prononcer un mot. Elle le frôla. Il portait toujours son musc de chez Kiehl's.

— Merci.

Capestan pénétra dans l'appartement et, autant par orgueil que par dignité, elle contint le regard circulaire qui la démangeait.

— Ce serait mieux qu'on s'assoie si ça ne t'embête pas.

Paul, à son ton, à l'incongruité de ce premier contact au bout d'un an, comprit que la situation était particulière. Il connaissait suffisamment son épouse pour ne pas imaginer un instant qu'elle jouerait avec lui. Il lui désigna le canapé et prit le fauteuil qui faisait face. Capestan s'installa, sans ôter son manteau. Elle joignit les mains et suivit rapidement la ligne de la cicatrice sur son index gauche.

Elle chercha une formule, un angle. Son métier l'avait plus d'une fois confrontée à cette situation. Mais jamais avec Paul. Il la regardait patiemment, avec cette expression de soldat prêt à encaisser les chocs, durement entraîné et fataliste dans la peine. Depuis la disparition du sourire, il n'attendait rien de bon. Il avait raison. Capestan s'en désola. Elle entendit sa propre voix, plus dure qu'elle ne l'aurait souhaité, se décider à sa place :

— J'ai une très mauvaise nouvelle, Paul. Ton père…

Elle baissa les yeux une seconde, quand elle les releva Paul avait déjà compris, il attendait la confirmation. Elle la lui donna.

— Il est mort assassiné, ce matin sans doute.

Paul se rencogna au fond de son fauteuil et fixa un point sous la table basse. La paume de sa main droite

frottait doucement le cuir brun de l'accoudoir. Perdu
entre l'effet d'annonce, les regrets et le besoin de
maintenir un front solide, il se gardait de toute réaction. Ses jambes tremblèrent légèrement. Capestan feignit de l'ignorer.

Pour ne pas avoir à contempler la souffrance de son
mari et le laisser libre de tout regard, elle choisit de
survoler le décor. L'appartement, comme elle s'y était
attendue, était chaleureux, viril et joyeux. Une immense
bibliothèque en chêne occupait la longueur du salon,
bourrée à craquer de livres de poche, BD, DVD, trophées de rugby, figurines de ciné et petits tableaux, des
marines pour la plupart, posés au hasard. Il n'y avait
pas de table dans la salle à manger, mais un bureau
assez ordonné et, derrière, une cuisine à l'américaine,
confortablement équipée.

L'heure était grave mais Capestan était flic. Une
sorte de sonde réflexe relevait les détails, fouillait alentour, analysait les données. Et dans cette grande pièce,
nulle part elle ne distingua la trace d'une femme, d'enfants nés ou à naître. Rien n'indiquait qu'il reçût des
visites. Paul semblait célibataire. Capestan sentit
sourdre une étrange joie qui envahissait son plexus,
repoussant, écrasant dans les coins le ressentiment et
les vieilles traces de colère. Ils reprendraient bientôt
leur place. Elle ne voulait pas de cette joie. Elle se
reprocha même de l'éprouver.

Le coin d'un cadre retourné qui dépassait derrière
le grand vaisselier à côté de la cuisine attira son attention. Elle le reconnaissait, surgi d'un passé tellement
lointain qu'il en devenait improbable. Ce cadre, elle
l'avait confectionné elle-même, pour les trente ans de

Paul. Un mètre sur deux, en relief. Une compilation de photos, tickets de cinéma, cailloux, places de concert, plumes de mouettes et autres petits souvenirs de leurs épisodes à deux. À cette époque, la star avait tout et les cadeaux ne le surprenaient plus. Mais il était resté figé, heureux, content, devant ce machin inaccrochable. On ne lui avait jamais rien fabriqué. Quinze ans plus tard, Anne se demandait encore ce qui lui avait pris. Elle comme lui étaient la pudeur incarnée et jamais ils n'avaient pu afficher ainsi leur histoire. Ils avaient passé les années suivantes à planquer ce cadre dans leurs appartements successifs. Sans jamais se résoudre à le jeter, ni même à le descendre dans une cave.

Attendrie malgré elle, elle posa les yeux sur Paul. Sa mèche légèrement fauve masquait un regard du même or.

Il ne pleurait pas.

À sa place non plus, Capestan n'aurait pas pleuré ce père.

La douleur pourtant tirait ses traits et serrait sa mâchoire.

Peut-être qu'Anne était censée prononcer quelques mots, peut-être qu'elle devait le consoler, qu'elle voulait le consoler. Mais elle resta là immobile, à préférer hésiter.

Il la fixa, parut chercher lui aussi un début de phrase et renonça. Finalement, il s'extirpa du fauteuil et se dirigea vers la cuisine où, après avoir rempli d'eau sa machine, il attrapa deux tasses :

— Tu veux un café ?

— Oui, merci.

Les paquets de silence s'empilaient dans la pièce, encombraient l'espace, les masquaient l'un à l'autre. Les vestiges de leurs amours couraient comme des fantômes le long des plinthes. Ils ne trouvaient pas les mots parce que, sans doute, il n'y en avait pas.

Paul déposa la tasse devant elle sur la table basse, avec un demi-sucre et une cuillère à moka. Puis il retourna dans le fauteuil pour boire le sien.

Après quelques minutes à faire tourner son café, il finit par prendre la parole :

— Tu n'es pas chargée de l'enquête ?

L'agressivité latente, comme la résignation, dans le ton de la question n'échappèrent pas à la commissaire. Elle fit court :

— Si.

Il laissa échapper un bref soupir et vida sa tasse.

— Tu ne l'aimais pas.

Les circonstances exigeaient un certain enrobage, mais nier l'évidence serait inutile.

— Non.

— Ne le salis pas.

Capestan, par réflexe, hocha la tête en signe d'assentiment. Et s'en voulut aussitôt. Cette promesse serait impossible à tenir.

5

Capestan n'avait pas l'intention de passer des siècles sur cette affaire. Elle avait encore moins l'intention de laisser une autre brigade la résoudre à sa place, puis de débarquer chez Paul en grosses bottes pour lui dévoiler le coupable et la longue liste des ennemis de son père. De ses errances aussi, sûrement.

Elle réfléchissait déjà à la scène de crime, telle qu'elle l'avait analysée. Le corps renversé, genoux pliés, le front percé d'une balle, les bras dans le dos. On avait agenouillé Serge Rufus avant de l'abattre les yeux dans les yeux. Pitié zéro, un certain goût du pouvoir et de la revanche ou la parfaite indifférence du sociopathe. Il y avait aussi la plaque de rue. Décorum sadique.

On recherchait un homme dangereux et déterminé.

De cette scène de crime, Capestan retenait aussi tous les flics qui grouillaient, prêts à en découdre. Ces dizaines de flics aux armoires pleines d'archives, aux PC gonflés de logiciels et de bases de données, aux commissions rogatoires accessibles. Ils avaient le sabre entre les dents et un seigneur à venger. Capestan allait devoir stimuler son groupe comme jamais.

Au claquement de la porte quand elle entra répondit l'impact d'une boule de billard contre une autre boule. Mais ils n'étaient pas tous à paresser dans la salle de jeux, il y en avait aussi dans le salon, où Rosière guidait Lebreton et Lewitz dans le positionnement d'un sapin d'environ deux mètres près de la cheminée. Elle hésitait, depuis un certain temps sûrement au vu des marques de lassitude sur le visage des transporteurs. Merlot, avachi dans le canapé, magazine dans une main, verre dans l'autre, encourageait muscles et décisions de remarques bien senties :

— La base est branlante, étayez, mes amis, étayez ! J'ai l'œil pour ça ! Ma modestie dût-elle en souffrir, je…

— Ça, pour souffrir, elle souffre rarement en silence, marmonna Rosière qui penchait la tête pour juger de l'effet des branches se reflétant dans le miroir. Ici c'est parfait ! Les guirlandes lumineuses se réfléchiront, ce sera superbe.

— Exactement ce que je disais, approuva Merlot. Attendez, j'ai là un article d'un grand intérêt sur…

Capestan l'interrompit. Ils n'avaient aucun temps à perdre.

— Excuse-moi, Merlot, on a du nouveau. Lewitz, tu peux rassembler l'équipe s'il te plaît ?

Lewitz se dirigea vers la porte de la salle de billard et passa une tête :

— Réunion dans le salon.

Il revint accompagné de Dax et Évrard. Torrez suivait, quelques pas en retrait.

— Alors c'est quoi cette nouvelle ? fit Rosière, ses doigts dodus comptant machinalement les médailles qui ornaient son large poitrail. On nous mute sur l'île de Batz ? On est promus cibles mouvantes du stand de tir ?

D'un signe de la main, la commissaire invita Rosière à tempérer son ironie.

— Il y a eu un meurtre, ce matin dans le 14ᵉ, on est partiellement chargés de l'affaire.

Un élan de joie inappropriée circula parmi les policiers. Certes, un homme était mort, mais d'une part on ne le connaissait pas et d'autre part un dossier frais faisait bondir leur statut de façon phénoménale. Seule Rosière qui accordait aux mots une importance tatillonne releva :

— « Partiellement » ?

— La Crim est saisie et la BRI donne un coup de main. Nous, on…

— … Nous, on fait les larbins en se faisant traiter de Judas toute la journée. OK, je vois, ce sera sans moi, lâcha Rosière avant de ramasser une boîte en carton pleine de boules de Noël.

— Eva…, commença Capestan.

— Elle a raison, remarqua Lebreton en haussant des épaules fatalistes.

— Et puis si on enquête, ça va encore être un flic le coupable…, prédit Évrard dans un sourire triste.

À peine lancé, l'élan était déjà brisé. Rien de très étonnant. Ces derniers temps, chaque passage au 36 s'était soldé par une série d'affronts pour les membres de la brigade. Un gars avait même craché à dix centimètres des Converse d'Évrard. Si son équipe n'avait pas joué le repli sur soi et la chaleur du groupe, elle aurait sûrement frôlé la dépression et rejoint le batail-

35

lon des absents. Ils revenaient, mais la démotivation s'accrochait comme une tique sur un chien fatigué.

Merlot, après avoir inspiré pour ranimer sa verve, brandit son magazine.

— Je lisais, donc, un article formidable dans *Avantages*. Écoutez ça : « Les animaux mettent leur odorat au service de la science et de la police », c'est le titre, précisa-t-il à l'intention de Dax et Lewitz. « Les porcs présentent un plus grand nombre de gènes olfactifs que l'homme, le chien et la souris, selon les études de l'Inra. Un don utilisé en Israël ou aux États-Unis pour repérer drogue, armes, mines antipersonnel. Les douanes françaises expérimentent avec des porcs bretons. » Non, non, c'est pas tout, c'est pas tout ! « Dressés à détecter les odeurs de poudre d'armes et de drogue, cinq rats ont intégré les rangs de la police de Rotterdam, en Hollande. » Des rats et des cochons ! Franchement ! On pourrait l'envisager, non ?

Atterrée, Capestan regardait chacun reprendre ses petites activités comme si de rien n'était. Ils abandonnaient avant même de savoir. L'inertie avait installé des banderoles tout autour de la pièce et la brigade commençait à se complaire dangereusement dans cette vacuité tranquille.

— Pour quelle enquête, Merlot ? A priori, vous avez tous décidé de rester plantés comme des larves dans votre centre de loisirs. Des rats policiers pour qui ? Y a pas de policiers !

— Commissaire…

— Quoi ? Vous êtes à deux doigts de venir en pyjama. Maintenant je vous préviens, soit vous écoutez le brief, soit je ferme le commissariat, vous irez au café d'en bas, comme tout le monde.

Elle avait parlé sur un ton de colère, sa journée commençait à peser. Elle avait certes obtenu le silence mais, tout en conservant une attitude d'autorité, elle tenta de conquérir aussi leur intérêt.

— Buron a fait appel à nous pour de bonnes raisons. Nous ne travaillerons pas *pour* la Crim, mais *en lien* avec la Crim. Je ne sais pas si ce sera un flic le coupable, Évrard, mais c'est un flic, la victime. Vous le connaissez sûrement, au moins de réputation : Serge Rufus.

Cette fois, l'attention convergea bien vers le tableau blanc, relégué à la droite du sapin. Capestan prit le marqueur dans la glissière, ôta le capuchon, inscrivit « Serge Rufus » en lettres capitales puis se tourna vers l'équipe pour entamer la réunion. Il s'agissait d'aller vite pour ne pas les perdre.

— Avant de partir à la retraite, Serge Rufus a été l'un des grands commissaires de l'Antigang. Du côté du 36, les flics vont s'agiter à gros bouillons pour défendre leur collègue ou enfoncer leur rival, en fonction des affinités. Nous, on est censés jouer la Suisse, les limiers indépendants. Et peut-être explorer des pistes que les officiels auront plus ou moins volontairement négligées.

— On aura les mêmes infos que les autres ? s'assura Évrard.

— Normalement… Un officier de la BRI est chargé de la bonne circulation des infos entre les services.

— Donc si on résout l'affaire avant eux, en haut lieu, ça pourra être considéré comme une victoire ? poursuivit la joueuse invétérée.

— Un camouflet, renchérit Merlot pour conforter celle qui complétait son binôme.

— Une trempe ! ajouta Rosière, moins pour la rigolade que pour faire amende honorable.

Tous s'installèrent plus confortablement pour la suite de l'exposé. Merlot et son naturel habituel s'étaient déjà octroyé une large partie du canapé tandis qu'Évrard, Dax et Lewitz se serraient sur l'autre. Lebreton se tenait debout, adossé au mur, et Rosière avait avancé son siège capitonné pour fermer le cercle, le chien assis bien droit à côté faisant portillon. Torrez, les quatre pieds de son tabouret dans le couloir, penchait juste le torse pour suivre les débats.

— On part malgré tout avec un handicap. S'il s'agit en effet d'un règlement de comptes en lien avec les dossiers du banditisme, on n'aura ni l'historique en tête, ni la connaissance du terrain. Mais nous avons d'autres atouts, plus inattendus, on l'a déjà vu, n'est-ce pas ? souligna Capestan pour insuffler un léger retour d'orgueil.

— Ha ha, tu m'étonnes, brailla Dax en tapant la cuisse de son copain Lewitz.

Le bruit de la sonnette vint interrompre ce soudain accès d'ambition. Lebreton, qui était déjà debout et sur le bord extérieur du cercle, se dirigea vers la porte pour accueillir le visiteur. Quand il ouvrit, il fut surpris de découvrir sur le palier une silhouette encore plus haute que la sienne, il avait rarement à lever le regard pour s'adresser aux gens. La silhouette en question se tenait raide comme la justice et aurait sans doute occupé tout l'encadrement si l'homme s'était décidé à entrer. Mais il se contenta de se présenter en tendant une mince enveloppe :

— Lieutenant Diament, groupe Varappe. Voici une copie des éléments du dossier Rufus. On attend les résultats de l'autopsie et de la balistique, mais vous trouverez les clichés de son domicile, les PV de l'enquête de voisinage, les fiches de quelques suspects. Je vous tiens au courant.

Sans plus de cérémonie, le lieutenant opéra un demi-tour quasi militaire et appuya sur le bouton d'ascenseur, négligeant Lebreton qui tenait encore la porte. Celui-ci eut un haussement de sourcils et se contenta de dire « Merci » avant de refermer calmement.

Dans le salon, toutes les têtes étaient tournées vers lui, dont celles de Lewitz et Dax, hilares :

— Oh l'autre ! « Groupe Varappe » ! Comment il se la pète ! Eh, fit le premier en tendant la main : Brigadier Lewitz, groupe Ping-Pong !

Le deuxième tendit la main à son tour :

— Lieutenant Dax, groupe Nintendo.

— Évrard, groupe Jokari, glissa celle-ci en agitant ses doigts.

— Merlot, groupe Picrate ! conclut le capitaine dans un accès d'autodérision émérite.

— Whaouahouah ! apprécièrent ses acolytes.

Tous quatre rugissaient encore de rire et se frappaient les cuisses, quand Lebreton transmit l'enveloppe à Capestan. Celle-ci l'ouvrit et commença à compulser les documents. Elle les faisait tourner au fur et à mesure à l'équipe. Sur l'un des derniers feuillets, un Post-it jaune capta son attention.

Dessus, griffonné à la hâte : « Va donc consoler le fils et laisse les vrais mener l'enquête. » Une fureur soudaine brouilla la vue de Capestan. Un rouge sang lui chauffait les joues, son rythme cardiaque s'accéléra et elle s'efforça de respirer par le nez pour calmer la flambée. Elle froissa le Post-it et poursuivit l'étude du dossier, le cerveau divisé en deux : une partie analysait les papiers pendant que l'autre ruminait l'humiliation et fourbissait des armes de revanche.

— Les relevés téléphoniques commencent en juin et s'arrêtent en août. On n'a rien d'autre ? s'étonna Lebreton.

Il manquait en effet les trois derniers mois. Même chose sur les relevés bancaires. Tous les documents étaient amputés de leurs contenus stratégiques.

— Non. J'ai l'impression que les liaisons ne brilleront pas par leur fair-play, répondit la commissaire en rongeant sa hargne. Pas grave, on n'a pas besoin d'eux pour réfléchir, et ce qui nous manque, on le trouvera tout seuls. Allez, on s'y met, il y a quand même des éléments, ajouta-t-elle en claquant des mains. Donc, Serge Rufus a été abattu d'une balle entre les deux yeux, en pleine rue. Les poignets menottés dans le dos. Même si le rapport d'autopsie n'est pas encore prêt, de nombreuses traces de contusions visibles sur le visage laissent penser qu'il a été battu, peut-être torturé. Pour le plaisir ? La vengeance ? Pour le faire parler ?

Ce serait à déterminer, mais Capestan avait une intime conviction : quels que soient les moyens mis en œuvre, il était peu probable que quiconque ait réussi à extirper le moindre mot à cet homme.

— La rue Gassendi, bien que peu commerçante, est trop fréquentée même en pleine nuit pour que le tabassage ait eu lieu dehors. Ou alors dans le cimetière Montparnasse, juste en face, peut-être. Ensuite, on l'a amené en bas de chez lui, spécifiquement pour l'abattre. Les traces de sang sur le trottoir sont sans ambiguïté, c'est là, devant la plaque, qu'on a tiré. Les brûlures autour du point d'entrée de la balle semblent indiquer la présence logique d'un silencieux ; avant même le rapport balistique, on peut pencher pour du 9 millimètres. Les menottes ne sont pas celles utilisées dans la police française, plutôt un modèle ukrainien a priori, déchiffra la commissaire sur un feuillet frappé serré. La méthode, comme les outils, ont orienté la Crim vers les membres d'un gang originaire de Kiev. Trois ans auparavant, Serge en a collé deux derrière les barreaux et un troisième en soins intensifs. Qui n'en est jamais reparti. Ces hommes ont une réputation de rancune tenace. La BRI n'exclut pas malgré tout d'autres pistes, d'autres bandes. Serge et ses hommes ont contrarié beaucoup de monde, que des têtes dures. Toutes informations à prendre avec des pincettes, puisque communiquées par des mauvais joueurs.

Cela dit, ni la Crim, ni la BRI n'allaient chômer en épluchant les dossiers du banditisme. Même à deux ou trois groupes, cela représenterait des mois d'enquête pour remonter les filières, étudier les emplois du temps, lister les mercenaires. Inutile pour leur brigade de chercher à rivaliser sur ce terrain. Il faudrait réfléchir ailleurs.

En premier lieu, cette plaque de rue. Pas un seul feuillet n'y était consacré dans l'enveloppe fournie par

Diament. Pas forcément indicatif, mais on pouvait supposer que le 36 ne s'y intéresserait que dans un second temps. Les armes, le sang, les vendettas : le folklore d'abord, l'incongru ensuite. Cette plaque pourtant était là pour annoncer la fin, réveiller la peur, faire perler la sueur. On ne manquait pas de sadiques dans le banditisme, mais cet effet d'affichage, d'ironie, touchait à un raffinement et une préméditation amusée que de vulgaires mafieux n'emploieraient pas naturellement. Il fallait que le cervelet ait grincé un paquet de tours pour sortir cette idée.

Capestan se remit devant le tableau pour noter les missions.

— Sur la scène de crime, dit-elle en désignant de son feutre une des photos étalées sur la table basse, on a retiré une plaque de rue et on l'a remplacée par une autre qui indiquait le nom de la victime, son année de naissance et celle de sa mort, 2012 donc, et comme profession : commissaire aux enfoirés.

— Elle était installée depuis quand, cette plaque ? interrogea la faible voix d'Évrard.

— Aucune idée. Avec le cimetière qui jouxte, on aura peut-être des caméras de surveillance.

— Faut demander à Varappe, il nous détachera les appareils avec sa toile de Spider-Man ! fit Lewitz en tapant la cuisse de Dax.

— Faudra lui demander en effet s'ils ont les images. Le 36 nous les passera peut-être après les avoir exploitées.

— Le tueur connaissait la date de naissance du macchabée, c'est pas rien, non ? nota Rosière.

— Non, c'est curieux, c'est vrai. Dax, fit Capestan en regardant le lieutenant qui riait encore bouche ouverte de l'histoire de Spider-Man, vous pourriez chercher sur Internet si cette info est facilement accessible ou s'il faut craquer des sites administratifs pour l'obtenir ?

— Où est-ce qu'on peut fabriquer une plaque comme ça ? demanda Lebreton en décollant son dos du mur. Magasin de bricolage ? Imprimerie ? Site web ?

Rosière passait et repassait les documents en revue ; au bout d'un moment elle remarqua :

— L'épouse est décédée il y a quelques années, mais la victime avait un fils, Paul Rufus. Je ne vois pas de PV d'audition. Personne ne lui a encore annoncé ? Ils ne l'ont pas interrogé.

Capestan baissa la tête et examina le bout de ses bottines. Il était temps de donner à l'équipe les véritables raisons de leur rattachement à l'enquête et le potentiel conflit d'intérêts qui risquait de ternir ses réflexions. Elle soupira, elle ne détestait rien tant que de donner à voir le moindre détail de sa vie privée. Une discrétion et un sens de l'intimité jalousement gardée après des années de police à fouiller dans la vie des autres. L'honnêteté ici devait hélas prévaloir sur le goût du secret. La commissaire releva la tête et énonça d'une voix neutre :

— C'est moi qui l'ai annoncé au fils. Paul Rufus est mon ex-mari. Par extension, la victime est mon ancien beau-père.

Un léger flottement régna quelques instants dans la pièce où les policiers ne parvenaient pas à masquer tout à fait les coups d'œil qu'ils échangeaient.

— Mais c'est génial ! s'écria Évrard avec une spontanéité aussitôt réprimée. Non excuse-moi, ce n'est pas du tout ce que je voulais dire. Simplement, en termes d'informations, d'historique et d'éclairage, on va avoir un sacré avantage sur la concurrence…

— Si on veut, admit Capestan.

— Il était comment, le super flic, alors ? Propre ? Ripou ?

La commissaire laissa son regard s'échapper par la fenêtre. Elle n'aurait pas songé à la corruption, non, mais elle avait noté de sales comportements. Même si, à l'époque, ce n'est pas le père qu'elle observait avec le plus d'attention.

6

*École nationale supérieure de la police
de Saint-Cyr-au-Mont-d'Or, Rhône, février 1992*

— Capestan, le commissaire Buron vous a encore sauvé les fesses sur ce coup et je ne sais pas pourquoi. Peut-être qu'il les trouve à son goût. Mais avec moi ça ne marche pas. Un ordre est un ordre, et il s'exécute.

— Sauf devoir d'appréciation. Les ordres, tout comme vos insinuations, commissaire, peuvent sembler inappropriés.

C'était dit sans insolence, ni timidité. À 19 ans à peine, Capestan était, de loin, la plus jeune de sa promo, et si elle excellait à peu près partout, il lui restait une large marge de progrès en matière de politique et d'enrobage. Elle le savait et se le reprochait souvent, mais jamais longtemps. C'était le genre de compétence qu'elle aurait tout le loisir de travailler à la maturité. Les manières de Serge Rufus, le plus antipathique de ses instructeurs, laissaient de toute façon peu de latitude en termes de comportement : on acceptait l'écrasement ou on se rebellait, pas de voie médiane.

Tous deux traversaient le parc de l'école et se dirigeaient vers les grilles coulissantes de l'entrée. En voyant le vaste terre-plein s'étendre devant eux, Capestan se demanda comment bifurquer et se débarrasser de cette pesante conversation.

— Je n'aime pas beaucoup votre ton, Capestan. Je ne suis pas votre prof de maths de 5ᵉ B et je ne compte pas me laisser chahuter par les pisseuses du fond de la classe…

La dernière phrase de Rufus venait de tomber dans le vide. Capestan ne l'écoutait plus, il n'existait plus. De l'autre côté du terre-plein, dans une lumière qui soudain se transforma en soleil du Texas, Anne absorbait l'arrivée d'une espèce de demi-dieu en gros col roulé marine et blouson Carhartt. Il avançait droit sur elle et leurs deux sourires s'élargirent de concert, comme imperméables déjà au moindre doute. Lorsqu'il ne fut plus qu'à un mètre, il s'arrêta. Capestan s'arrêta. Serge Rufus s'arrêta.

— Bonjour papa, fit le demi-dieu.

— Paul, qu'est-ce que tu fous là ? répondit le commissaire mal embouché.

Le fils du pire. La nouvelle gela l'instant et Anne marqua le pas. Mais la douche froide qui venait de s'abattre sur elle s'évapora jusqu'à la dernière goutte sous la chaleur du regard de « Paul ». Paul. Il tendit un papier plié à son père :

— Ton indic, il n'a pas voulu dire son nom. Il paraît que c'est urgent, une réunion. Mais vu l'accueil, fit Paul en s'orientant vers Capestan, je vais plutôt le donner à ta collègue, elle est plus souriante…

L'esprit de Capestan était trop loin déjà. Elle avait les circuits engourdis d'endorphine et, incapable de parler ou de réagir, elle ne pensa même pas à saisir le papier. Son cerveau, bloqué sur une seule stupéfaction, avait avalé une galaxie entière. En une courte seconde qu'elle avait attendue dix-neuf longues années, Anne tombait amoureuse d'un frimeur à tête d'archange, un kéké aérien, clair et sans ombre, à l'ego plus chatoyant qu'un paon en pleine roue.

Serge stoppa le mouvement de Paul. Elle vit l'éclair de peur dans les yeux de ce dernier, le retrait instinctif du poignet, la mâchoire qui se contracte. Le cerveau de Capestan redémarra plein régime. Fin de la fête. Serge Rufus était une brute et son fils était bien placé pour le savoir.

7

29 novembre 2012, Paris

— Il l'a commandée sur ce site, confirma Dax en désignant l'écran.

Le site à multiples gifs bondissants qu'il venait de hacker proposait entre autres de personnaliser des verres à bière pour un départ à la retraite ou de décorer des mugs avec une photo mal cadrée et un cœur accolé. La page des plaques de rue présentait une grande variété de matériaux et d'inscriptions : Place des boulistes, Râleurs interdits, Rue des jeunes mariés… Mais un champ permettait aussi de taper le message de son choix, pour annoncer un meurtre et terroriser sa victime par exemple.

— Tu peux regarder s'il a laissé son adresse pour une livraison ? demanda Capestan, sachant d'avance que le tueur n'avait pu se montrer aussi stupide.

— Ah ben oui, forcément ! s'enthousiasma Dax qui, manifestement, aurait choisi cette option.

Le jeune boxeur frappa le clavier, il plissa le nez pour forcer les pages à s'afficher plus vite. On ne savait jamais trop sur quoi il allait tomber, ni ce qu'il allait retenir. Le cerveau de ce surdoué de l'informatique était resté sur le ring. Les compétences techniques demeuraient, mais le plus sûr était de rester à ses côtés pour orienter les recherches. Néanmoins, Capestan n'aimait pas cornaquer et, avant de gagner son propre bureau, elle glissa juste :

— Si, en passant, tu peux remonter un numéro de carte bleue, une banque, tracer un autre achat, n'importe quoi, fais-le. Empile les données, on épluchera après. Bonne chasse.

Le lieutenant eut un frisson de ravissement et sourit à son clavier. Ça ne valait pas *Call of Duty*, mais on n'était pas loin.

Devancer les arrogants du 36, rattraper le tueur, puis l'annoncer en douceur à Paul. Capestan avait une journée chargée d'envie, de devoir et de peine aussi. Mais elle laissait plutôt l'adrénaline guider ses recherches, afin de rester en lien avec l'équipe qui avait besoin de tout sauf d'une déprime supplémentaire.

La porte d'entrée claqua, un chien court sur pattes surgit et fila droit sur l'entrejambe de Merlot qui en hoqueta de surprise. La voix tonitruante de Rosière retentit dans tout le salon.

— Pilou ! Sois pas grossier, bordel ! Haaa ! Qu'est-ce que c'est que ça ?

Un rat à poil brun, intrigué sans doute par l'irruption du chien, dépassait de la poche de veste du capitaine. Ses moustaches balayaient l'air à la recherche d'éclaircissements. Merlot l'assomma d'une paluche rassurante.

— C'est mon rat, je le dresse pour le service.

Le chien, prudent, se rapatria aussi sec aux pieds de sa maîtresse. La sémillante Rosière, vêtue d'une doudoune prune à liserés dorés qui doublait une silhouette déjà plantureuse, serra les dents et déglutit. Puis manifestement désireuse de changer de vision comme de sujet, elle opéra un quart de tour et exhiba une boîte en carton qu'elle portait à bout de bras comme s'il se fût agi des saintes reliques.

— Calendrier de l'Avent de chez le confiseur Mazet, les enfants ! Vingt balles, mais c'est du doux ! Et le premier qui y colle ses pattes sans mon autorisation expresse se mangera une torgnole en guise de chocolat du lendemain, ajouta-t-elle en coulant un regard menaçant vers Merlot qui se frottait déjà les mains.

Elle accrocha sa doudoune à la patère de laiton fixée au mur derrière son bureau et s'installa dans son fauteuil Empire, examinant son environnement immédiat, à la recherche d'un emplacement digne de recevoir le glorieux éphéméride. Une fine console à sa droite lui parut convenir. Rosière centra méticuleusement la boîte qu'elle ouvrit en deux à la façon d'un cadre photo, révélant ainsi les rangées de minuscules casiers encore fermés en ce 30 novembre par des languettes joliment illustrées. Un vaste sourire satisfait sur le visage, elle se tourna alors vers Capestan, l'air de réclamer les nouvelles du jour.

— Alors Cocotte, quoi de neuf ? Ça avance le cas Beau-Papa ?

La cocotte, malgré ou peut-être grâce à la légèreté du ton, sourit à son tour.

— On attend encore le rapport d'autopsie et la balistique. Torrez étudie ce qu'on possède de comptes et Lewitz le téléphone. Dax vient de trouver le site d'où provenait la plaque, le seul à proposer le modèle émaillé dans ce format et cette couleur. Il fouille les entrailles du panier client.

— Relais colis, passage du Grand-Cerf, beugla fort à propos l'informaticien en écrasant une épaisse phalange sur le plan Google Maps.

— Bon boulot, lieutenant, répondit Capestan en se levant.

Lebreton eut un hochement de tête appréciateur. Mécaniquement, il défroissa sa veste noire et s'approcha à lentes enjambées de l'écran.

— C'est à côté. Tu veux qu'on y aille ? demanda-t-il à Capestan.

Celle-ci acquiesça :

— Oui, allez-y. Je dois rester pour accueillir notre « officier de liaison ».

D'un dixième de sourire en direction de Rosière, son binôme habituel, Lebreton plissa la ride qui barrait son visage. La capitaine était déjà debout et décrochait sa doudoune. Pilou enchaîna les triples bonds du chien qui n'a pas vu le jour depuis de trop longues minutes, sa queue battait l'air, le bois du bureau, la corbeille à papier, tous les mollets qu'il croisait. Il était content et ne s'assit qu'en apercevant Rosière qui attendait, le mousqueton de la laisse ouvert.

Capestan avait rejoint Dax et cherchait la date de commande.

— Commande le 5 octobre, livraison le 20 du même mois, leur dit-elle avant qu'ils ne partent.

— Très prémédité comme meurtre. Le paiement ?

— Une carte bleue prépayée à usage unique.

— Eh oui, comme les portables ! tonna Rosière. C'est vrai qu'ils ont mitonné ça pour les CB aussi, les cons. Comme si les flics se faisaient pas assez chier. Allez-y les gars ! Qui veut acheter des saloperies sans traces ? Fraude facile, une banque à vos côtés ! Putain, je te jure. Il reste à espérer que le porte-flingue se soit déplacé lui-même au relais colis et que le boutiquier ne l'aura pas oublié. C'est pas récent récent.

Alors que Rosière et Lebreton quittaient le commissariat, Lewitz rejoignit Capestan dans le salon. Il tenait la feuille de relevé téléphonique. Quelques numéros étaient surlignés.

— C'était pas un bavard, Rufus. Les appels ne dépassent jamais deux ou trois minutes et honnêtement, il y en a très peu. Bon, j'ai cherché ceux qui revenaient : un médecin généraliste, un néphrologue et un dentiste, sinon son club de tir, le domicile de Léon son ancien collègue et une certaine madame Georges qui s'occupait de son ménage. J'en ai profité pour la questionner, d'ailleurs, et elle m'a confirmé que ce n'était pas un bavard, mais qu'il paraissait sans histoires. Il sortait peu de chez lui, regardait la télé la moitié de la journée, ne voyait personne. Il y a aussi plusieurs appels à son fils, Paul Rufus, mais tous raccrochés au bout d'une seconde. Ça devait pas être la joie, fit Lewitz avec une moue embarrassée. Le seul numéro qui sorte du lot c'est celui-ci, ajouta-t-il en désignant un 06. Il appartient à Denis Vérone, tu crois que c'est l'acteur ?

Denis Vérone, l'un des membres de l'ancien trio de

Paul. Sa carrière s'était envolée. Rufus devait chercher le contact par les chemins de traverse.

— Oui. C'est un ami du fils. Bon. Je verrai ce qu'on en fait. Les relevés plus récents seront plus révélateurs. Dax s'occupe de les pirater après la plaque.

Un coup de sonnette, tellement bref qu'il en devenait insultant, claqua dans la grande pièce. Diament. Capestan alla ouvrir.

Il tendit quelques documents et, sans même sourire, déclara :

— La BRI a deux suspects en garde en vue. Je vous ai mis une fiche, mais ce sera vite terminé maintenant.

On sentait qu'il l'espérait. Capestan, après avoir refermé et entendu l'ascenseur démarrer, posa son front contre la porte. Deux gardes à vue, déjà. La brigade avait à peine le temps de s'échauffer que le 36 allait leur boucler l'affaire sous le nez. La vexation lui noua la gorge. La porte s'ouvrit de nouveau et Capestan recula.

C'était Orsini, le capitaine vieille France acoquiné avec tous les journalistes du pays qu'il abreuvait en indiscrétions sur la police. Il revenait d'un week-end prolongé.

— Bonjour capitaine. Votre séjour s'est bien déroulé ? Vous tombez plutôt bien, on a une nouvelle affaire.

— Bonjour. Très bien, répondit Orsini avec toute la fantaisie dont il était capable.

Il plia soigneusement son pardessus sur son avant-bras et s'approcha, intrigué :

— Quelle affaire ?

8

Depuis la fontaine des Innocents, la rue Saint-Denis animée sans répit était envahie de friperies vintage et de magasins de sneakers qui avaient chassé le gros des sex-shops. Seules quelques enseignes subsistaient comme pour sauver la galerie, conserver les touristes et le badaud du dimanche matin, celui qui est censé rapporter le pain. Après l'avoir parcourue à grands pas, Louis-Baptiste Lebreton et Eva Rosière traversaient maintenant la rue Turbigo pour entrer dans la section 2e arrondissement de la rue, celle où peu à peu les sex-shops cédaient leur bail, cette fois, aux petits restos bobo. C'est ici que le passage du Grand-Cerf offrait un raccourci vers le quartier Montorgueil. Récemment rénové, et doté d'une des plus hautes verrières des passages de Paris, le Grand-Cerf était le repaire d'échoppes de caractère dont les enseignes géantes, éléphants, bésicles, crabes en papier mâché ponctuaient un trajet hors du temps. Lebreton avait adoré cet endroit où Vincent, son compagnon, avait tenu un minuscule cabinet d'architecte. Du temps béni où il était encore en vie.

Les décorations de Noël et guirlandes lumineuses, qui soulignaient aujourd'hui la beauté du lieu, attisaient des feux douloureux dans la mémoire du commandant. Ce serait son premier Noël de veuf. La joie et la frénésie qui partout commençaient à vibrer se resserraient sur Lebreton qui freinait des quatre fers pour ne pas atteindre décembre. Il voulait accéder directement à janvier, le gagner en rampant, comme un naufragé qui remonte les premiers mètres de plage pour se hisser sur la terre ferme. Et redémarrer l'hiver sans avoir serré les dents au milieu des banquets. Mais non, il faudrait d'abord passer la pleine saison des suicidés pour pouvoir de nouveau souffrir normalement, à son petit rythme quotidien.

Même en cette fin d'automne, une lumière céleste tombait de la vaste verrière et baignait le passage d'une atmosphère paisible. Seuls les pas sur le carrelage à damier et les voix assourdies des rares passants parvenaient aux oreilles des policiers silencieux. Le commandant et Rosière arrivèrent devant la boutique indiquée par Dax. Elle était fermée, contrairement aux horaires que ce dernier avait fournis.

— Voilà, c'était couru d'avance, asséna Rosière, Dax nous a balancé une couille dans le potage.

Lebreton étudia la plaque du magasin :

— Ça va, ils ouvrent dans un quart d'heure.

— Ouais, admit Rosière avant de se tourner vers les autres vitrines.

— Tiens, ils sont jolis ces petits coussins, fit-elle en entrant d'un pas décidé dans la boutique en face.

La clochette retentit et dans un soupir imperceptible, le commandant suivit sa collègue.

Ils ressortirent quelques minutes plus tard, Lebreton armé de deux sacs plastique pleins de coussins colorés, et évitèrent de justesse une petite fille hilare qui lançait sa trottinette à fond de train sur cette piste de rêve, sa mère loin derrière levant mollement les bras pour tenter de la ralentir. Souriant au tableau, les deux policiers entrèrent au Fil à la patte, le relais colis. Le propriétaire venait de rouvrir.

Il les accueillit avec un grand sourire plein de fausses dents, surmonté d'une fine moustache brune dessinée avec soin. Il ne vendait que des chaussettes et chaque client semblait précieux, surtout chargé comme ceux-là. Rosière présenta sa carte de police.

— Bonjour monsieur, on vient pour, peut-être, féliciter votre mémoire. Il y a un mois environ, vous avez servi de relais colis pour persorigolo.com. Une plaque émaillée. C'est assez lourd et vous voyez à peu près le format, fit-elle en écartant les mains d'une cinquantaine de centimètres. Est-ce que par hasard vous vous souviendriez de la personne venue la récupérer ?

Le vendeur se composa un air malin et mystérieux pour répondre :

— Je ne sais pas... C'est loin... Peut-être... Il faudrait sans doute m'aider à rafraîchir ma mémoire...

Incrédule, Rosière le fixa une seconde en souriant puis s'esclaffa franchement :

— Je rêve ! Pépère en pull jacquard, il se croit dans *Starsky et Hutch* ! Il nous fait le coup du petit billet ! Eh, y a plus une série – et je sais de quoi je cause – qui l'oserait celle-là. Non, enchaîna-t-elle après avoir écrasé une larme, je crois plutôt que vous allez vous acquitter de votre devoir de citoyen, avant de jouer la suite de l'épisode, celle où Starsky menace d'éplucher les comptes du magasin.

Outré qu'on ridiculise ainsi une tentative bien légitime, le vendeur se tourna vers Lebreton, comme pour le prendre à témoin de l'injustice qui lui était faite. Ce dernier se coula naturellement dans le rôle du bon flic, celui qui s'adresse avec respect aux consciences bien bâties et leur offre une chance de restaurer leur dignité.

— Ma collègue vous a mal compris, pardonnez-la. En plus elle aime en rajouter, fit-il en adressant à Rosière un regard qui l'invitait à calmer le jeu. Je trouve, moi, que vous avez l'air d'un homme qui relève absolument tous les détails. Il vous faut le temps de rassembler vos souvenirs, c'est bien naturel. Dites-moi quand votre concentration vous paraîtra optimale.

Lebreton sortit un carnet et un stylo de sa poche, avant de fixer l'homme avec sérieux. Il espérait que la pirouette suffirait à rattraper l'éclat de Rosière, dont les lèvres tremblantes trahissaient le caractère inextinguible du fou rire. Si l'homme se vexait trop, il refuserait de dire quoi que ce soit et il n'y aurait aucun moyen de l'y forcer. Les policiers repartiraient pour moitié rigolards certes, mais entièrement bredouilles.

Heureusement, le propriétaire de la boutique porta la main à son front pour soutenir sa réflexion. Le commandant lui avait offert une porte de sortie honorable, il semblait enclin à le rembourser en informations.

— Oui, un homme est venu. Plutôt brun, taille et corpulence moyennes. Des lunettes de vue carrées, fortement correctrices. De la barbe et les cheveux assez longs sur la nuque, à la mode du début des années 1980.

— Vous sauriez repérer des postiches, j'imagine. À votre avis ?

L'homme secoua la tête, catégorique.

— C'était du vrai.

— Votre description est précise et précieuse. Vous auriez le temps de passer dans nos locaux pour un portrait-robot ?

L'homme, à l'appel du devoir, se redressa fièrement.

— Si ça vous paraît nécessaire, bien sûr. Aujourd'hui, je ferme la boutique à 16 heures, je peux venir après.

— Parfait, merci beaucoup, fit Lebreton en lui tendant l'adresse qu'il avait notée sur une page de son carnet. À tout à l'heure.

Le commandant toucha le coude de Rosière, l'invitant à partir. Celle-ci s'était tournée vers les rayonnages de chaussettes pour ricaner à son aise.

Assise sur la banquette du métro, elle tordait entre ses mains le passeport tout neuf qu'elle venait de récupérer à la préfecture. La photo était bien, on l'aurait crue presque transparente. Nom : Évrard ; prénom : Blanche. Prémonition ou volonté de ne pas encombrer leur jeunesse amoureuse ? Qu'est-ce qui avait poussé ses parents à la baptiser ainsi d'un prénom qui la rendait plus incolore encore, qui l'effaçait, elle qui existait déjà si peu. Évrard soupira, elle prenait corps pourtant ces derniers temps. La preuve, elle avait même un passeport. Finalement, cette foule autour d'elle n'existait pas beaucoup plus.

Sur la banquette d'en face, une femme entre deux âges contemplait depuis six stations déjà son ticket de Banco. Tant qu'elle ne le grattait pas, tout pouvait encore arriver et tous ses problèmes se résoudre. Alors elle faisait durer. Mais comment faisaient tous ces gens dont l'unique espoir résidait dans un bout de carton imprimé spécialement pour les perdre ?

« Tu le sais, comment ils font, Blanche, tu le sais. Et tu ne dois plus y penser », se dit la joueuse repentie, impatiente de découvrir malgré tout le chiffre sous la pellicule grise du ticket de la dame.

9

Quelques heures plus tard, Évrard pénétrait dans la petite pièce où Dax œuvrait sur le portrait-robot en compagnie du témoin. Ce dernier ne perçut même pas cette présence supplémentaire.

— Les yeux, plus grands ou plus petits ? demandait le lieutenant, la main sur sa souris.

— Un peu plus grands. Mais il avait des verres épais, c'est trompeur.

Le vendeur répondait avec une prudence contrainte, l'air de prendre Dax pour un toquard hors norme. On sentait qu'il avait hâte d'en finir.

— Et comme ceci, ça vous semble correspondre, monsieur ? On peut passer au nez à votre avis ?

Évrard trouvait pourtant Dax attentionné et aimable, comme souvent. Il s'appliquait. Elle contourna le bureau pour faire face à l'écran et comprit soudain les réserves du témoin. En bonne bluffeuse, c'est sans s'émouvoir qu'elle réclama un éclaircissement au lieutenant.

— Tu trouves ce système plus fiable ?

Dax, très concentré sur les lignes du portrait, répondit sans quitter l'écran des yeux.

— La PJ nous a refusé le logiciel de portrait-robot,

paraît qu'il coûte une blinde. Alors, je me suis créé un compte là-dessus, les vingt premiers niveaux sont gratuits. Honnêtement, ça le fait, non ? C'est précis, hein ?

Évrard inclina la tête pour se forger une idée honnête et en convint volontiers :

— Ça le fait grave.

Dans le salon, Capestan parcourait l'article de *La Provence*.

— C'est incroyable ! Ça ne peut pas être une coïncidence.

— Non, répondit Orsini, le procédé est trop proche, la date d'exécution aussi.

La mise en scène entourant l'assassinat de ce Jacques Maire à L'Isle-sur-la-Sorgue correspondait en tous points à l'esprit présidant au meurtre du commissaire Rufus. Il fallait tout de suite étudier ce meurtre et trouver le lien entre les victimes.

Au moment où Orsini lui avait confié l'article, Capestan était en train d'examiner les fiches de profil des suspects que le 36 venait de placer en garde à vue. L'arme ayant abattu Rufus avait déjà servi lors du meurtre d'un receleur quelques années auparavant. À l'époque, les deux hommes arrêtés aujourd'hui avaient été interrogés et relâchés. Aucun lien évident avec Rufus mais, avait songé Capestan agacée, elle ne disposait sans doute pas de tous les documents.

L'article d'Orsini changeait la donne. Un crime identique en Provence bouleversait l'enquête et c'est la brigade désormais qui détenait l'information stratégique. Qu'allaient-ils en faire ? La communiquer serait non seulement fair-play mais responsable : on était dans des enquêtes pour meurtre. À cela s'ajouterait le plaisir non négligeable de les narguer quelques minutes. Se taire en revanche les propulsait sur dix longueurs d'avance. Tentant. Alors, prévenir Diament ? Buron ? Capestan eut à peine le temps de se poser réellement la question. Le téléphone hurlait, le fixe, celui avec la sonnerie furieuse. Buron sûrement. Il connaissait le matériel de la brigade et s'en servait pour conditionner la commissaire avant les remontrances. D'un signe de tête, elle s'excusa auprès d'Orsini qui retourna dans son bureau approfondir la piste.

En effet, c'était le directeur :

— Capestan, vous avez craqué les sécurités d'un site commerçant sans autorisation du Parquet et sans couvrir vos traces ?

— Ah… hélas, ce n'est pas exclu, répondit la commissaire en observant Dax de loin.

— Pas exclu, pas exclu. Vous l'avez donné, cet ordre, ou pas ?

— De craquer ? Oui, absolument. En revanche, je pensais que l'effraction serait plus discrète.

— Voilà ce que j'appelle présenter des excuses et réaliser la portée de ses actes, Capestan ! « Je ne pensais pas me faire gauler » comme le premier délinquant venu.

— Y a de ça, admit la commissaire en souriant.

— Une plainte a été déposée, vous savez. On ne pourra pas exploiter les éléments que vous aurez trouvés.

— Mettez-la sur la pile… En attendant, on est justement tombés sur une piste intéressante. La plaque de rue vendue sur le site piraté lie le meurtre de Rufus à celui d'un autre homme dans le Vaucluse. Même méthode.

L'information relégua le mécontentement de Buron au second plan.

— C'est-à-dire ?

Capestan résuma la teneur de l'article de *La Provence*. Elle évoqua également l'avancement des recherches concernant la plaque émaillée. Elle pouvait percevoir le cliquetis des neurones du directeur à l'autre bout du fil.

— Comment avez-vous fait le rapprochement ? C'est loin, la Provence, ces affaires ne remontent pas jusqu'à nous.

— Orsini est collectionneur de presse.

— Oui, c'est vrai, j'avais oublié ça.

— On est en train de dresser un portrait-robot, je comptais le transmettre au lieutenant Diament.

— Non. Une fois encore, ce portrait a été obtenu illégalement, après avoir craqué un site. Il me paraît peu judicieux de plomber les enquêtes de toutes les brigades, Capestan. La vôtre suffit amplement.

— Pour le lien, on se conserve l'info aussi ou on joue le jeu ?

— Moui… le lien. Écoutez… la BRI et la Crim sont elles-mêmes sur des volets de l'enquête qui avancent très bien. Ne dispersons pas les forces, creusez d'abord tout seuls.

— Monsieur le divisionnaire ?

— Commissaire ?

— Vous me dites tout de suite ou j'essaie de deviner comme la dernière fois ?

Elle entendit le sourire de Buron éclore dans l'écouteur :

— Il n'y a rien à deviner, Capestan, il s'agit juste d'envisager d'autres pistes et méthodes. La BRI, pour l'heure, se croit chez Melville et n'entend pas varier d'un pouce. Vos vilains canards me changent de Delon.

— Mes vilains canards, comme vous dites, ont…

— Oui, oui, je sais, je sais. À propos, vous aurez un nouveau dès demain.

— Un nouveau ?

— D'Artagnan, il est sorti d'HP ce week-end. Il est pour vous, forcément. Vous l'aviez dans les dossiers de constitution de la brigade.

D'Artagnan. Henri Saint-Lô de son vrai nom, ainsi surnommé car il se croyait immortel, venu du fond des âges, et prétendait avoir débuté comme mousquetaire du roi.

Après avoir raccroché, Capestan gagna la cuisine pour se préparer un thé. Pendant que la bouilloire chauffait, elle rejoignit Lebreton sur la terrasse. Assis dans le transat, ses longues jambes croisées devant lui, il fumait tout en lisant le rapport d'autopsie.

— Du neuf ?

— Rien qu'on n'ait déjà remarqué, si ce n'est plus de précision sur l'heure du crime : entre 6 heures et 6 h 30. Et oui, il a bien été tabassé. À mains nues et crosses de pistolet. Une ou deux personnes.

Un couinement attira leur attention. C'était le rat de Merlot qui se faufilait jusqu'à sa gamelle au pied du laurier. Les deux policiers le regardèrent grignoter quelques graines. D'une tape légère, Lebreton se débarrassa de sa cendre dans le cendrier à ses pieds. Avant de reprendre sa cigarette, il remarqua sobrement :

— Ça aurait pu être un cochon.

Capestan considéra le rongeur quelques secondes.

— C'est vrai, on ne s'en sort pas trop mal, concéda-t-elle avant de changer de sujet.

— Demain matin, on fait une réunion de bonne heure. Orsini a dégoté un meurtre sur le même mode opératoire que celui de Rufus. Il cherche des informations complémentaires et on fait le point. L'article de presse est dans le salon si tu veux le voir en attendant.

— Oui, bien sûr. Je finis ça avant, fit Lebreton en agitant le rapport d'autopsie.

De retour à son bureau, mug fumant à la main, la commissaire commença à chercher parmi ses dossiers celui de ce fameux mousquetaire. Elle finit par le trouver et alluma sa lampe avant de l'étudier.

Absorbée par sa lecture, elle n'entendit pas Dax s'approcher. Pour se signaler, celui-ci toqua sur le plateau du bureau comme à une porte. Les épaules bien droites, il tendit un document qu'il tenait à deux mains.

— Le portrait-robot, commissaire, il est prêt.

— Merci lieutenant, répondit Capestan en souriant.

Son sourire s'effaça au fur et à mesure qu'elle découvrait le portrait. L'homme, certes brun, avec barbe et lunettes et de taille moyenne, avait par ailleurs de longs poils verts, un bouclier et une épée. Capestan se contenta de les désigner de l'index en dévisageant Dax.

— Oui, ça, non, c'était pour faire rigoler Évrard, fit le lieutenant en se tortillant. C'est *World of Warcraft*.

— *World of Warcraft* ?

— Comme la brigade n'a pas le logiciel PJ pour les portraits, j'ai utilisé le système de construction des avatars de *World of Warcraft*. C'est un jeu en ligne, de l'heroic fantasy. Vous connaissez forcément, hein ? Hein ? Y a des elfes, des orques, des gnomes... On peut fabriquer des personnages hyper pointus ! Et comme le vendeur ne se souvenait plus des vêtements, je me suis dit que ce serait drôle de… OK je refais le corps. Mais je sais pas si je vais trouver un pantalon et une chemise sur *World of Warcraft*…

— Ils vous ont refusé le logiciel ?

— Ben oui…

Capestan, fulminant intérieurement contre cette nouvelle avarice, ce nouvel affront surtout, détailla le portrait une seconde fois. L'esthétique du dessin fleurait certes le jeu vidéo, mais le rendu était saisissant de réalisme. Décidément Dax l'étonnait.

— Vous avez eu une idée de génie, lieutenant. C'est super, bravo.

Tout gonflé de fierté, Dax s'apprêtait à retourner sur son PC.

— Juste une chose, en revanche, vous n'aviez pas effacé les traces en craquant persorigolo.com ?

— Ah ben non, vous me l'avez pas demandé !

— C'est vrai, c'est vrai, je ne l'ai pas spécifié. Bon, je vous le dis pour les prochaines fois, notamment les relevés téléphoniques : masquez tout. Toujours. Ce sera l'option par défaut.

— D'accord, je note, répondit Dax, en le notant réellement sur un Post-it destiné au cadre de son écran. « Toujours effacer traces effractions. »

Le genre de Post-it qui serait du meilleur effet si un gradé venait à visiter les locaux.

Rosière, ceinturée dans une robe de chambre en moumoute mauve, déposa la gamelle d'eau sur le sol en marbre de la cuisine. Le chien, un peu déboussolé par cet horaire inhabituel, renifla ladite gamelle pour y trouver une explication et comme il ne la trouvait pas, oreille dressée et gueule sur le côté, il fixa sa maîtresse. Quatre heures du matin, c'était pas une heure pour se lever.

— Olivier doit appeler, mais comme il calcule le décalage comme un manche…

Olivier, le fils adoré de Rosière, après des années à animer la maison de sa joie chantante, était parti vivre à Tahiti. Le bout du monde. Chacun de ses appels était un événement et Rosière tenait à avoir l'esprit clair pour profiter pleinement de la conversation. Elle avait reçu un mail la veille, annonçant le Skype du jour. Coiffée, un bloc-notes et un stylo posés à côté du Mac, Rosière était prête. Noël approchait, il fallait noter les vols pour acheter les billets à envoyer au fiston.

L'ordinateur bipa et elle se connecta aussitôt. La belle tête sympa de son fils emplit l'écran et son sourire, malgré les pixels, illumina le salon de Rosière.

— Salut maman ! Ça va ?

— Et toi, mon poulet ?

Olivier allait bien, du travail à gogo, du kite-surf tous les matins. Il avait bonne mine.

— Alors, t'arrives quand finalement ? demanda Rosière.

— Ben, en fait, cette année, ça va être compliqué, maman. C'est pile la période où on a besoin des remplaçants. À part le 24 et le 25, le cabinet des kinés reste ouvert. Je peux pas refuser leurs propositions, tu vois ? Sinon, ils trouveront quelqu'un d'autre.

— Oui, bien sûr, bien sûr, ne t'inquiète pas, mon poulet, le boulot, c'est sacré, rassura Rosière d'une voix ferme.

Après quelques banalités embarrassées, la conversation mourut rapidement. Rosière mit son Mac en veille et se pencha pour caresser son chien. Finalement, elle l'attrapa sous les pattes et le prit dans ses bras.

Elle se demanda, comme souvent, si c'était mieux de ne jamais avoir connu le vrai bonheur ou de l'avoir pleinement vécu pour qu'il se recroqueville ensuite.

10

— Gentes dames, damoiseaux, on m'a annoncé : me voici ! lança l'homme sur un ton qui tenait moins du théâtre que de la bravade.

Petit, sec, il avait ôté son chapeau de feutre et embrassait l'assemblée du regard depuis le seuil du salon. Son sourire était ironique et il lissa sa moustache avant de se pencher légèrement en signe de salut.

— Je vous souhaite à tous le bonjour et vous prierais – une seule fois – de ne pas m'appeler D'Artagnan. Je me nomme Saint-Lô.

Tous les policiers se turent, interloqués. On ne leur avait rien annoncé du tout, ils préparaient la réunion et ce soudain excès de présence les interrompait chacun dans leurs activités.

L'esprit d'accueil qui, par une sorte de règlement tacite, prévalait dans la brigade se trouvait ici bousculé : le nouvel arrivant semblait vouloir se charger lui-même du discours de bienvenue. Sans s'encombrer de la moindre gêne ou de la plus petite hésitation, Saint-Lô pénétra dans la pièce et, une main dans le dos resserrée sur son chapeau, il s'approcha de la fenêtre d'un pas rapide, dont on distinguait à peine l'effort.

Précis, souple, il se déplaçait comme du vif-argent, l'esquive aux aguets.

— Vous n'êtes point sans ignorer qu'Henri IV s'est fait trucider ici même.

L'immeuble en effet s'ouvrait sur la rue des Innocents pour sa face nord mais la face sud donnait rue de la Ferronnerie, où une pierre gravée marquait l'emplacement de l'attentat perpétré par Ravaillac, le géant fou.

— Juste en dessous.

Par réflexe, les regards de Dax et Lewitz se posèrent sur le parquet, comme pour y chercher la calèche.

— J'étais béjaune encore lorsque c'est arrivé, je n'ai rien pu faire. Rien, fit Saint-Lô en secouant la tête l'air sincèrement contrit.

Bien, se dit Capestan. Le séjour en hôpital psychiatrique n'avait manifestement pas porté les fruits escomptés. Saint-Lô se tourna, comme s'il l'avait entendue.

— Je sais exactement ce que vous pensez. Vous vous dites…

Saint-Lô ménagea une pause et, mimant à main levée l'écriture de la plume, il cita :

— … « L'asile ne lui a pas réussi. »

Il rabattit sa main avant de poursuivre, un peu las :

— Non, en effet. Car je n'ai point besoin d'être soigné. Je sais qui je suis et aucun internement ne me le dérobera.

— Oui oui capitaine, il n'y a aucun problème, fit Capestan, apaisante.

— Laissez-moi achever, s'il vous plaît, coupa Saint-Lô sans agressivité, mais avec la volonté inébranlable

70

de poursuivre ce qui semblait être son couplet d'intro-
duction. Je tolère ces traitements sans me rebéquer afin
de conserver ma charge et ma solde. Vous vous ima-
ginez que l'hôpital devrait m'apprendre au moins à me
taire pour obtenir la paix. Mais non, ces dernières
années d'existence m'ont enseigné que le silence était
inutile, on chasse tout autant les sorcières qui se terrent.
Alors, je vivrai comme je l'entends et vos marmiteux
avis sur ma personne ne modifieront en rien mon
comportement. Déprisez-moi, provoquez-moi, à votre
aise, vous n'êtes jamais que la trentième brigade que
j'intègre.

Capestan songea à toutes ces philosophies qui éri-
geaient la longueur de l'âge en garant de la sagesse et
de la paix intérieure. Elles connaissaient avec cet
homme hérissé de défiance un sérieux revers. Les mille
réincarnations de Bouddha avaient accouché d'une
teigne. La comédie avait assez duré, une affaire plus
récente méritait l'intérêt de l'équipe. Saint-Lô peut-être
daignerait s'y atteler.

— Bon, merci pour cette présentation et bienvenue,
capitaine. Une enquête nous attend. Vous en êtes ?

Un peu surpris par la fin abrupte d'un combat qu'il
rêvait à fleurets mouchetés, Saint-Lô hocha la tête.

— Oui, oui. Si je puis aider, tout à fait.

— Vous avez une tête, vous pouvez.

Rosière, tout en ôtant le papier de soie autour d'une
boule de Noël, chuchota en aparté à Lebreton :

— Et encore, si on en croit la présence de Dax, ce
n'est même pas une condition nécessaire.

Lebreton avait installé le tableau à côté de la cheminée, sur le versant opposé au sapin. L'arbre brillait maintenant de mille feux, chaque membre de l'équipe y apportant tour à tour un élément de décoration personnelle. L'ensemble hétéroclite n'aurait pas séduit les boutiques chic ou les parfumeries, mais ici, ça animait. Dans l'encadrement du miroir, Capestan avait glissé des clichés des deux victimes, Serge Rufus et Jacques Maire, ainsi que le portrait-robot. Quand tout le monde eut gagné sa place, elle démarra.

— Ces deux victimes ont sans doute été abattues par le même homme et c'est peut-être celui-ci, fit-elle en désignant tour à tour les photos et le portrait. Ne faites pas attention aux poils verts, c'est le haut qui compte. On doit trouver ce qui relie ce petit monde. Mais, avant, les dernières nouvelles sur Rufus. Merlot ?

Le capitaine, fort de son réseau, avait été chargé des recherches en rumeurs, loisirs nocturnes, accointances inhabituelles sur le commissaire Rufus.

— Comme nombre de ses collègues de l'Antigang, Rufus vivait entouré de tontons plus ou moins recommandables. Ses indics étaient pour la plupart maquereaux, receleurs, ou bien braqueurs et gâchettes repenties. Rien de vraiment original, a priori aucun grand nom du Milieu dans son carnet et, depuis sa récente mise à la retraite, il semblait avoir coupé les ponts avec le monde interlope. Là, comme ça, ses activités parisiennes m'ont paru dans la ligne de ce qu'on peut attendre. En revanche, je n'ai pas encore fouillé ses affectations précédentes : Lyon, Biarritz... Je vais devoir solliciter d'autres réseaux.

D'un sourire, Capestan remercia Merlot et invita Lebreton à prendre la suite.

— Le rapport d'autopsie est incomplet, mais il confirme les premières constatations : Rufus a été battu, plusieurs heures pendant lesquelles il a conservé les menottes qui ont creusé les poignets. Aucune trace de bâillon. Il est donc fort probable qu'on cherchait à le faire parler. Pour dire quoi ? Ça, on ne le sait pas encore. Il a ensuite été transporté dans la rue, où on l'a abattu d'une balle de neuf millimètres au milieu du front, avec un silencieux. On estime l'heure du décès à 6 heures du matin.

— C'est un effort important de transporter un homme, surtout costaud comme celui-ci, pour le plaisir de l'abattre au bon endroit, remarqua Capestan. Qu'est-ce qui justifie cet effort ? Le tueur le place sous la plaque de rue afin de fignoler une mise en scène macabre, d'accord. Pour le plaisir personnel ou pour envoyer un message ? Pour effrayer qui ? D'autres victimes potentielles ? Possible. Ce qui nous amène au petit nouveau. Jacques Maire, fit la commissaire en tapant la photo de son marqueur. Remarquez, il a été assassiné avant, non ?

Ses recherches débutaient à peine, mais Orsini prit la parole :

— Oui, deux jours auparavant. Ce sont les collègues d'Avignon qui sont chargés de l'enquête et, comme on n'est pas censés faire état du lien supposé entre les affaires, je n'ai pas pu les contacter pour avoir les infos. Mais je connais bien le correspondant de *La Provence* sur le secteur. C'est lui qui a écrit l'article, précisa-t-il à l'intention de Capestan. On retrouve le même type de mise en scène, en effet. Jacques Maire avait des marques de coups sur le visage, mais moins que Rufus, il a peut-être parlé plus vite. Il a ensuite été tué d'une balle dans le front, en fin de nuit également, celle du 25 novembre. C'est la nuit suivant l'apparition de son nom sur le monument aux morts.

— Il n'était pas pétochard, le gars. Moi, je vois mon nom sur un monument aux morts, je me colle un moteur dans le derrière et hop la fusée ! releva Rosière.

— C'est vrai. Mais il était très ancré dans la ville, il avait peut-être des choses à régler avant d'envisager une fuite.

— À quoi ça ressemble, ton patelin ? interrogea Rosière en croisant ses bras sur sa poitrine, faisant tressauter les médaillons.

Pilote, couché à ses pieds, hissa une oreille qu'il rabattit aussitôt. Fausse alerte.

— L'Isle-sur-la-Sorgue est une toute petite ville à l'est d'Avignon, dans le Luberon. On y compte plus d'antiquaires que de boulangeries et l'affluence y est très importante à partir d'avril. Généralement les gens font le circuit des charmants villages et passent par L'Isle, Fontaine-de-Vaucluse, Gordes, Roussillon, etc. Bref, petite ville mais rayonnante d'un point de vue touristique. Jacques Maire y était considéré un peu comme le bienfaiteur du coin. Il possédait l'une des dernières grosses entreprises des environs, des meubles provençaux de luxe, fabrication artisanale, bois de qualité, etc. Il sponsorisait la plupart des clubs sportifs ou associations locales. Il subventionnait également la crèche et la bibliothèque. Un homme fort courtois, sans problème apparent, il était très apprécié même s'il n'était pas du cru, ce qui, comme dans toute région-régionale, suscitait un petit fond de condescendance. Son installation ne datait « que » de vingt ans.

— Ouais, enfin quand t'injectes du pognon, les forcenés du clocher s'assouplissent illico. Les forts en gueule, ça porte haut les opinions et bas la constance, remarqua Rosière. Il était comment sinon, le Jacquot ?

— Soixante-dix ans, assez bel homme, marié depuis cinquante ans à la même femme, Yvonne, actuellement pensionnaire de la résidence Les Lavandes, car atteinte de la maladie d'Alzheimer. Le couple a eu deux enfants, âgés de 42 et 47 ans, la fille vit dans le nord de l'Angleterre, le fils possède une maison à quatre cents mètres de chez ses parents.

— Le monument aux morts était gravé ou simplement peint ? demanda Lebreton.

Orsini se pencha vers la table basse où trônait un sachet en papier plein à craquer de clémentines offert à la communauté par un Dax qui entamait, lui, son troisième fruit. L'odeur caractéristique des agrumes embaumait la réunion, lui conférant un doux parfum de confort sans rapport avec de quelconques évocations de meurtres.

— Les deux, répondit Orsini en se servant. D'après un artisan que j'ai appelé, la gravure est assez sommaire, réalisée sans doute avec un outil pour artiste du dimanche. Et la peinture était appliquée assez grossièrement elle aussi. Maintenant, l'opinion des artisans sur le travail des autres…

— On a pris le temps de graver, quand même. Il y a une caméra de surveillance dont on a pu tirer quelque chose ?

— Non, ça, ce n'est pas une info que je pourrais obtenir sans contacter la police, rappela Orsini en épluchant la fine peau avec un soin qui confinait au polissage.

— Bien sûr, admit Lebreton en saisissant à son tour une clémentine d'un orangé éclatant. Donc avec ce décorum, le tueur veut terroriser quelqu'un d'autre ou, comme on le disait, il se fait juste plaisir. Joie sadique.

— Oui. Un psychopathe, mais pas rituel. Il change de support pour ses annonces, remarqua Capestan. Faut comparer les victimes et tenter d'en anticiper d'autres à venir. Dax, tu pourras nous trouver les relevés de Jacques Maire aussi, qu'on les rapproche de ceux de Rufus, les plus récents. Ils se sont peut-être appelés entre eux ou ont téléphoné aux mêmes personnes.

Dax resta les yeux plantés dans le vide une petite éternité puis, après un sursaut, il saisit un carnet dans la poche intérieure du blouson de cuir qui ne le quittait jamais afin de noter les instructions avec application.

— L'enterrement a déjà eu lieu ? demanda Lebreton en décroisant ses jambes.

Orsini fit non de la tête et croqua un quartier rutilant.

— L'autopsie a retardé l'inhumation. Elle aura lieu vendredi.

— Vous pensez que ça vaut la peine de se déplacer, capitaine ? demanda Capestan.

Elle connaissait d'avance la réponse, mais voulait en laisser l'initiative à Orsini, premier découvreur et enquêteur sur cette histoire.

— Oui. Et même à plusieurs.

Capestan survola l'équipe. En plus d'Orsini, Rosière et Pilou remuaient déjà les fesses, prêts à démarrer.

Lebreton les accompagnerait sûrement. Étudier l'entreprise, les amis, faire circuler la photo du commissaire Rufus, le portrait-robot… Les recherches nécessitaient encore deux éléments en renfort.

— D'autres volontaires ?

Le museau du rat surgit de la manche de Merlot et sauta sur le genou d'Évrard à ses côtés.

Adjugé.

11

Le Sud était sale et froid et loin. Sur la route du Pontet, Rosière, les fesses calées dans le cuir luxe de sa Lexus pilotée par Lebreton, regardait défiler l'absence de charme provençal par sa vitre maculée de pluie. Guidée par une impatience qu'elle jugeait maintenant particulièrement con, ils avaient voyagé une bonne partie de la nuit. Bercée d'une imagerie à la noix, Rosière avait pensé rejoindre un ciel turquoise baignant des toits de tuiles aux ocres délavées par le soleil, sur un fond de chants de cigales qui s'éclatent l'élytre sous la chaleur. Des clous.

La Provence en hiver offrait un tableau d'une laideur pathétique. Les façades à la chaux des maisons n'étaient pas conçues pour les averses et, telles des buvards pleins de poussière, elles absorbaient l'eau pour la transformer en auréoles grisâtres, prêtes à tomber en gravats. Là où l'été le riant des villages à flanc de coteaux mobilisait l'attention, décembre révélait l'anarchique succession de zones commerciales, champs couverts de bâches à moitié trouées, entrepôts désaffectés, magasins de hard discount isolés qui reliaient les points touristiques entre eux. Le long de la quatre-voies, les arbres nus ployaient sous les nuées de sacs plastique qu'un mistral colérique avait envoyé crever sur les branches. Tels des lambeaux fantomatiques, les sachets blancs s'étiraient, percés de toutes parts, coincés là pour une éternité, lamentables témoignages d'une négligence de masse. Rosière était fumasse. Elle se tourna vers Lebreton.

— Tu dis si tu t'endors, hein. C'est pas la beauté du paysage qui va nous maintenir éveillés.

— Ne t'inquiète pas, j'ai perdu l'habitude de dormir. On arrive bientôt.

— Ouais. Ben j'espère que l'hôtel au moins sera potable, sinon je retourne enquêter à Paris. Putain, prochain meurtre, va falloir me sortir du Venise ou de l'Acapulco, sinon, tintin, je bouge plus. Fait chier.

Surpris, Lebreton tourna brièvement la tête vers sa collègue :

— Tu t'attendais à quoi ? On est quand même en décembre. Ça peut pas faire carte postale en permanence.

— Ah ben là oui, pas de risque.

Le commandant, amusé mais en profond désaccord, prit une inspiration :

— On est dans la plus belle région du monde, à la fois sauvage et délicatement pomponnée, aussi belle que jolie. C'est moche deux mois par an, et encore, un moche dont pas mal se contenteraient. Là on est sur un axe routier et si tu ramènes Paris à son périph', c'est pas mieux. Hein, Eva, conclut-il en souriant, laisse la Provence tranquille, je l'aime d'amour.

— Ça va, tu vas pas t'y mettre, toi aussi !

La Provence, Tahiti… Ils allaient arrêter, tous, avec leur soleil et leurs paradis à deux balles.

— Yep ! abonda Pilou, soucieux en toute chose de défendre les intérêts de sa maman chérie.

— Si, si, si ! Et je vais même te prouver ce que je dis, persista Lebreton. On va se boire un petit café en arrivant, tranquille, dans un coin mignon. Avec un biscuit, ajouta-t-il à l'attention de Pilote qui se rassit aussitôt sur sa couverture, satisfait d'avoir obtenu gain de cause.

— Ouais. On n'a qu'à faire ça, maugréa Rosière, consciente du caractère un poil abusif de ses récriminations. Ce sera ma tournée, chauffeur. L'enterrement est à quelle heure ?

— Onze heures. Orsini est arrivé par le train d'hier, Évrard et Merlot ont pris celui de ce matin.

— Oui, Orsini m'a envoyé un texto, il s'est plus ou moins mêlé au personnel des pompes funèbres pour avoir des infos. Avec sa tronche, ça n'a pas dû être trop compliqué. Il passe une cravate et hop, il peut infiltrer des garnisons de croque-morts incognito. Je suis sûre qu'il avait pas dit bonjour qu'on lui confiait les clés du corbillard. On tient du pisse-froid de compétition, quand même.

Comme à son habitude, Lebreton accueillait les parties de daube de Rosière sans les commenter. Est-ce qu'il les entendait seulement, le Grand Seigneur au Cœur Pur ? se demanda la capitaine, à la fois légèrement froissée et heureuse de pouvoir déblatérer tout son saoul sans surenchère ni ébruitement. L'oreille de Lebreton était un défouloir sans risque et sans contrainte. Reposant. Quel bon collègue elle avait trouvé là. Quel bon copain, osait-elle à peine se formuler. À propos de collègue et de médire, elle n'avait pas encore évoqué le cas D'Artagnan.

— Dis donc, il est grave, le nouveau, tu ne trouves pas ?

Cette fois Lebreton consentit un haussement de sourcil approbateur. On pouvait difficilement nier.

— Non, mais il ne va pas nous coller tous les débiles d'Île-de-France, le père Buron, quand même ? Parce que nous, OK, on est au placard, mais y a du niveau. Moi je suis quand même auteure, bordel ! Capestan, c'était The Winneuse, toi, un cador du Raid, Orsini, il est chiant mais c'est un érudit, Évrard, elle a un petit problème de jeu mais grosso modo elle est normale. Limite trop, remarque. Même Merlot, c'est un emmerdeur et un alcoolo, mais il connaît son boulot. Dax et Lewitz, les lapins crétins, je dis pas. Et encore, ils peuvent surprendre. Mais là le type, il se croit né en 1593 ! Il est bon pour l'Entonnoir d'Or !

— À part ça, sa façon de raisonner semble se tenir.

— Oui, à part ça, comme tu dis... Si on fait abstraction du fait qu'il parle de Richelieu comme s'il l'avait croisé hier et qu'il nous balance son gant dans la gueule dès qu'on le charrie, à part ça son raisonnement se tient pas mal...

Cette fois Lebreton ne put s'empêcher de rire. La veille, Dax et sa diplomatie ordinaire avaient fait remarquer à Saint-Lô qu'il était drôlement petit pour un ancien mousquetaire. Ulcéré, Saint-Lô avait rappelé les proportions des hommes de l'époque, que Monsieur n'avait pas dû visiter beaucoup de villages médiévaux et que s'il jugeait les siècles du haut de ses films

Disney, ses références laissaient à désirer. Sans compter que les illustres personnages de l'histoire avaient largement prouvé, si besoin était, que taille et valeur n'avaient aucun lien. Là-dessus, il avait jeté son gant au visage d'un Dax fort surpris, en lui demandant réparation. Le lieutenant avait alors retourné le gant et déclaré fort sérieusement :

— Y a pas besoin de le réparer, il est très bien ce gant. Ça doit être l'autre. Donne, si tu veux je le passerai à ma maman, elle coud très bien.

L'innocence du lieutenant avait désamorcé la hargne de Saint-Lô qui n'avait pu trouver de réponse appropriée. Il avait repris son gant en marmonnant « Non, non, c'est bon » et deux heures plus tard, Rosière en rigolait encore sur la terrasse.

Passé un rond-point et ce qui semblait être un commerce de parpaings, une pancarte annonça L'Isle-sur-la-Sorgue.

Après avoir déposé leurs bagages dans un hôtel de charme qui cette fois en avait vraiment, Rosière et Lebreton, manteaux ouverts, avaient bu leur café sur une table en bord de rivière. La pluie avait cessé de tomber et le soleil reprenait possession de son territoire. Les couleurs soulagées s'éveillaient peu à peu, les jaunes des façades, l'orangé des toits, le rouge des carreaux de terre cuite libéraient leurs pigments sous la clarté retrouvée. Aux pieds des policiers, l'eau translucide de la Sorgue courait en frissonnant le long des algues vertes. Rosière admettait, grognant de moins en moins, que tous ces canaux qui traversaient la ville, toutes ces roues à aube paresseuses, les successions de petits ponts, de pergolas, de cours ombragées et de pierres blanches méritaient éventuellement un peu d'attention. Quand, sur le prospectus de l'hôtel, Lebreton lui avait lu le surnom de Venise Comtadine attaché à la ville, Rosière avait quand même ricané.

Un texto s'afficha sur l'iPhone de la capitaine. Orsini : « La cérémonie débute dans trente minutes. RV devant église, centre village. »

— Allez, fini de rigoler, bois ton café, on met en bière, fit la capitaine en se renversant la tasse au fond du gosier. On va voir s'il était si aimé que ça, le roi du village.

Sous un ciel bleu qui rendait enfin justice à cette région magnifique, la place de l'église bruissait d'une activité confite en respect. Les rares accès de faconde qui par inattention s'élevaient parfois étaient aussitôt réprimés et reprenaient leur volume de sourdine. Il y avait quelques élégances, mais les vêtements sombres s'accordaient mal au climat et il avait fallu gratter les fonds de placard. Les hommes tiraient sur leurs manches trop courtes, tentaient de soulager des boutons de veste en souffrance. Les femmes avaient majoritairement opté pour une étole noire sur une robe du quotidien. Les jeunes qui avaient cédé au pantalon noir avaient l'air de garçons de café, serrés dans leurs chaussures neuves. L'un d'entre eux, plus costaud que ses copains et à moitié étranglé par sa cravate, semblait véritablement inconsolable. Il n'avait pas 20 ans et, les yeux rougis, il reniflait autant qu'il pouvait pour retenir une authentique morve de chagrin.

— C'est l'apprenti en ébénisterie de la boîte, glissa Orsini à ses collègues.

— Il a l'air d'en avoir gros…, nota Rosière.

— Oui, c'était son premier patron, une figure en plus. Le gamin a fabriqué lui-même le cercueil. Avec les artisans, ils ont choisi les plus belles planches, le meilleur chêne. Depuis trois jours, ils le bichonnent. Ce sont eux qui vont porter le cercueil jusqu'à l'autel.

Orsini s'interrompit brièvement et on perçut le bruit feutré des pneus dont la course mourait en douceur sur la place.

— Tiens, voilà le corbillard.

La veuve, un rien agacée, brassait l'air et prenait à témoin les deux amies qui l'accompagnaient.

— Mais où est Jacques à la fin ? Il doit encore traîner à la maison.

Atterrées, ses amies ne savaient trop comment rappeler à cette femme au cerveau grignoté par l'implacable Alzheimer que son mari était là, à l'heure, dans le cercueil qui sortait du long break noir.

— Je dis ça, c'est pour lui ! Tous ses amis sont déjà là… C'est dommage quand même, qu'il rate la fête comme ça.

Les enfants et leurs conjoints, eux, se tenaient à distance, ne supportant plus sans doute d'avoir à annoncer à leur mère, de nouveau, chaque minute, que leur père était mort. Ils laissaient la maladie conduire et se retranchaient derrière leur propre douleur.

Porté par les employés de la fabrique de meubles, le cercueil franchit les hautes portes sous un glas sonnant et résonnant.

Suivant, bien embarrassé, cette veuve sans larmes qui houspillait un mari dont elle oubliait la perte, le cortège pénétra dans l'église. « Un très beau spécimen de baroque provençal, riche en angelots », avait prévenu Lebreton, lisant un autre prospectus au comptoir de l'hôtel. En effet, l'église était coquette, lumineuse, curieusement joyeuse dans un tel contexte. L'assemblée, elle, semblait sincèrement chagrinée. Les trois policiers la survolaient du regard, à la recherche du détail qui cloche, du visiteur déplacé. Orsini était accompagné par son ami correspondant de presse, un papi svelte qui portait un gilet à poches de reporter de guerre et un rictus aux dents plus grandes que Fernandel. Il abreuvait le capitaine en informations que celui-ci répercutait à ses collègues en murmurant :

— Tous les gens présents dans l'église sont de la région. Pas d'inconnus.

— C'est curieux, Jacques Maire n'habitait là que depuis vingt ans. Il n'avait pas d'amis avant ? Pas d'autre famille ? remarqua Lebreton.

— Pas qui soient venus, a priori.

— Ce n'est pas normal, fit Rosière. On ne commence pas à vivre soudain et à faire souche à 50 ans. Sa vie d'avant doit ignorer sa vie d'aujourd'hui. Ça pue le changement d'identité. Même la veuve, elle n'a pas de famille, la veuve ?

— Si, un frère aîné et deux nièces, mais ils vivent en Arizona. Ça fait un gros déplacement à cet âge-là.

En se redressant, Rosière cogna ses genoux dans la chaise paillée devant elle. Ils avaient serré les rangs. Heureusement que Pilou était resté à l'hôtel. Elle réfléchissait. Deux nièces… Un plan s'ébauchait.

La cérémonie allait bientôt s'achever. Placé en milieu de travée, Lebreton pouvait percevoir les questions inappropriées de la veuve, les gros sanglots des enfants et de quelques employés. L'apprenti, au premier rang avec ses compagnons, se tordait les mains en couvant des yeux le cercueil qu'il avait poli de tout son savoir, de toute sa peine. Le sermon clos, le prêtre trempa le goupillon dans l'eau bénite et leva haut le bras pour asperger en croix le chêne rutilant. Au moment où les premières gouttes tombèrent, l'apprenti, mû par une conscience professionnelle irrépressible, se précipita sur le cercueil qu'il frotta rapidement de son mouchoir pour que l'eau ne tache pas le bois. Une fois la dernière trace essuyée, il se redressa et aperçut le visage interloqué du curé, goupillon hissé, stoppé en pleine course. Piquant un fard terrible, l'apprenti retourna bredouillant à sa place et détourna le regard pour ne pas assister à la suite. L'assemblée entière, courbée dans une attitude de recueillement, fit son possible pour contenir son fou rire.

Alors que Rosière se mordait les joues, Orsini et Lebreton en profitèrent pour guetter les visages alentour. À l'avant-dernier rang à gauche, tout au fond de l'église, un homme mince, vêtu d'un costume gris, semblait ne pas avoir vu la scène. Lui aussi observait la salle, l'œil agité. Machinalement, il tira sur les deux extrémités d'un papier vert brillant pour libérer un Quality Street. Il enfourna le chocolat et à cet instant, son regard croisa celui de Lebreton, avant de dévier précipitamment.

Il y eut un vaste mouvement de foule, le cercueil et sa suite repartaient. Un défilé de gens, têtes basses, s'interposa entre l'homme et le commandant. Malgré sa haute taille, Lebreton le perdit de vue un instant.

Quand enfin il put sortir du rang et retrouver suffisamment de mobilité pour survoler l'assemblée, l'homme
avait disparu.

À la sortie de l'église, les enfants recevaient les
condoléances dans un état second. Leur mère quelques
mètres plus loin semblait chaque fois vaguement éton-
née par ces poignées de main, ces effusions, que sa
bonne éducation la forçait à accepter sans en relever
l'incongruité.

— Attends, bouge pas, je vais essayer quelque
chose, fit Rosière à Lebreton qui aussitôt s'alarma.

Slalomant entre les gens, Rosière atteignit la veuve
qu'elle pressa contre sa poitrine consolatrice :

— Oh, Tatie !

Après ce câlin impromptu, la femme lui sourit sans
réagir, avec dans les yeux ce fond d'angoisse commun
aux malades d'Alzheimer, incapables de reconnaître
leur famille la plus proche. Mais ce « Tatie » ne lui
évoquait rien. Un coup d'épée dans l'eau. La capitaine,
peu fière mais décidée, s'écarta de la foule.

La grand-mère adorée de Rosière avait souffert
d'Alzheimer. Elle ne reconnaissait plus les gens qui
s'adressaient à elle, ni ses belles-filles et ses gendres,
ni ses petits-enfants, ni même à la fin ses enfants. La
mémoire s'effondrait mais l'intelligence pour sa plus
grande part restait intacte et avec elle l'absolue volonté
de masquer son état. Alors sa grand-mère attendait,
elle guettait, un signe, un détail qui l'éclairerait sur
l'identité de son interlocuteur, lui apprendrait s'il
s'agissait de son petit-fils préféré ou du facteur. Pour
ne pas la laisser nager dans le doute, Rosière démarrait
chaque conversation par « Mamie », ainsi son aïeule,

le sourire soudain élargi d'affection comme de soulagement, pouvait enchaîner et l'appeler « Ma cocotte »
comme elle le faisait avec ses six petites-filles. Elle
ignorait de laquelle il s'agissait, mais pas grave, ça
marchait avec toutes. Rosière s'était souvent dit que si
d'aventure une témoin de Jéhovah avait sonné en
disant « Mamie », elle lui aurait répondu « Ma cocotte »
puis filé tout son pognon.

— Qu'est-ce que tu fais, Eva ? demanda Lebreton
qui l'avait rejointe aussi vite que possible.

— T'inquiète. Elle n'en souffrira pas hélas et
oubliera aussitôt. On n'a que deux jours pour pêcher
des renseignements, on va pas faire dans la dentelle.

Avant que Lebreton ait pu la retenir, Rosière fendait
de nouveau la foule et retombait dans les bras de la
veuve.

— Oh, Tata !

— Ma chérie !

C'était « Tata ».

— Ça va, ma tata ? Ça fait tellement longtemps que
j'avais pas revu tonton. J'y pensais l'autre jour. Comment il s'appelait déjà quand on était petits ?

— Ah oui, ça fait longtemps, tu as raison. C'est
comme si c'était hier pourtant, fit la dame, l'œil soudain embué. Jacques Melonne il s'appelait, quand vous
étiez minots. J'aimais mieux d'ailleurs. Il était tellement beau à l'époque avec ses larges épaules…

— C'est quand vous connaissiez Serge Rufus ? Ou
lui ? fit-elle en exhibant le portrait-robot amputé des
poils verts.

C'étaient les souvenirs les plus anciens qui résistaient, ça valait la peine de tenter.

88

— Ah non, ça, ça me dit rien, ma chérie…

Rosière remballa le dessin et enchaîna. Derrière elle, d'autres consolateurs s'impatientaient.

— Mais pourquoi vous avez changé de nom, déjà ?

— Ah ça, ma chérie, tu essaies de me tirer les vers du nez ! Tatata ! Je n'ai jamais vraiment su, remarque. Un jour, il est rentré, il m'a dit : « Fais nos valises, celles des enfants, on part. Tu verras, ce sera un peu compliqué de s'habituer au début, mais on sera très bien. Je te le promets. » Et de fait, on est très heureux…

— D'accord, mais…

— Mais demande-lui enfin ! T'en parles comme s'il était mort ! Jacques ! Jacques !

La veuve était repartie, poursuivie par une énième vague de condoléances et de visages flous. Rosière fut déportée, elle abandonna. Le cœur triste.

Elle savait qu'elle-même, un jour, finirait sans doute entourée d'inconnus qui sauraient son histoire mieux qu'elle et que ça la rendrait folle de vulnérabilité. Elle eut un nouveau pincement en voyant engloutie par la foule cette veuve qu'elle venait de flouer, et qui ne s'en souviendrait pas. Tout ça pour retrouver l'assassin d'un époux dont elle ignorait la mort mais conservait encore l'empreinte.

Lebreton observa sa collègue qui revenait, roulant des hanches et regonflant sa chevelure de feu. Scandalisé, il devait malgré tout reconnaître qu'en obtenant la véritable identité de la victime, ils avaient fait un bond colossal.

12

Situé à l'entrée de la ville, le café ressemblait à un resto routier abandonné. Son ample terrasse qui s'épanouissait l'été n'était pour l'heure qu'une vulgaire étendue de ciment semée de flaques d'eau croupie et balayée de papiers gras. Dans un coin, une pile de fauteuils blancs en plastique prenaient l'humidité et les fientes d'oiseaux, quelques feuilles mortes coincées dans les pieds. La pergola sans vigne avait l'air d'un étendoir à linge. Même le paysage autour, conçu pour la chaleur et la langueur, montrait en hiver la face sombre d'une pièce rarement retournée. Évrard et Merlot échangèrent un regard avant de pousser la porte.

Une vaste salle au sol carrelé et aux murs crépis d'un blanc douteux était coupée en sa moitié par un long comptoir. De l'autre côté de ce comptoir se situait la partie restaurant, ici c'était la zone café et son tournoi de belote coinchée hebdomadaire. Tous les regards convergèrent vers les nouveaux arrivants et les conversations diminuèrent. On entrait en plein western.

Tel Richard Cœur de Lion magnanime avec le peuple vaincu, Merlot se réjouit à haute voix, dans ce registre de basse timbrée qui lui était familier :

— Voilà bien un de ces bistrots inattendus de nos fortes provinces ! Je suis certain qu'on y sert le meilleur des pastis.

D'un pas conquérant, il se dirigea vers le bar et s'adressa à la barmaid qui en avait vu d'autres, des conquérants.

— Deux Ricard s'il vous plaît…, fit-il.

Puis, après un clin d'œil aux hommes accoudés à côté, il ajouta en se tournant vers sa collègue :

— … quant à Madame, je ne sais pas encore ce qu'elle prendra.

Madame prit un Ricard elle aussi en se demandant dans combien de milliards d'années ces blagues de comptoir cesseraient de cimenter la complicité de leurs piliers.

— Il y a moyen de s'inscrire au tournoi ? questionna Évrard en versant l'eau sur le centimètre d'alcool qui se troubla et prit une belle teinte jaune opaque.

Ce concours apéritif était plus une formalité qu'autre chose. Passé les premiers tours, les perdants continuaient d'autres parties, à d'autres tables, jusqu'à fermeture de l'établissement. Parmi les joueurs les plus fervents se trouvait le personnel de la fabrique de meubles de Jacques Maire, située en face. Notamment son comptable, employé compétent mais joueur et buveur médiocre, dixit le gars de *La Provence*. C'est lui qui aurait des infos et qu'Évrard et Merlot étaient chargés de faire parler « quitte à lui bourrer la gueule », avait finement recommandé Rosière.

Et pour lui « bourrer la gueule », la meilleure stratégie consistait à perdre, partie sur partie, puisqu'en matière de belote, le vaincu élégant arrose la tablée.

Lutter pour perdre. Évrard sentit la sueur perler dans son dos à l'évocation des chutes et des ruines. Au casino, aussi addictives qu'un saut dans le vide, elles dégageaient autant d'adrénaline que la victoire. Plus d'argent, elle ne jouerait plus jamais d'argent.

Se concentrer sur les cartes. Et sans mise, alors le simple goût du jeu reprenait ses droits. Sortir le bon atout, au bon moment, forcer les enchères, couper les as, défausser les dix et encaisser capot et dix de der. La sensation du pli qu'on ramasse, des cartes qu'on range, égalisant les bords d'un petit geste savant sur le bord de la table, on racle un peu le tapis de leur tranche et on les pose en un tas parfaitement rectangulaire devant soi. Et on jette un léger coup d'œil à l'espace vide de gains devant l'équipe adverse.

Là, oui, là c'était bon de gagner, c'était même important. Évrard allait devoir se faire sacrément violence pour jouer en dessous.

— Faut s'adresser à Monsieur, répondit la barmaid en libérant violemment le tiroir de sa caisse enregistreuse pour y plaquer le billet froissé de Merlot.

Monsieur avait de grandes moustaches et une petite enveloppe dans laquelle les participants acquittaient une dîme de huit euros la doublette. Après quoi Monsieur notait les deux noms sur une grande feuille quadrillée et montait les parties au fur et à mesure des arrivées. Il leur désigna une table dans l'angle, près d'une fenêtre aux vitres sales qui ne laissait quasiment rien paraître de la nuit déjà tombée mais reflétait parfaitement la salle et son éclairage au néon.

En tirant sa chaise pour s'installer, Évrard se demanda à quoi tenait l'atmosphère de confort d'un lieu pourtant si sinistre. Les tapis de feutre vert sur les tables, avec les verres pleins posés dans les coins ? Ou simplement la présence d'une bonne vingtaine de personnes réunies et causantes, après l'absolu désert de cette partie de la ville que seules les voitures traversaient, sans aucun piéton pour défier les trottoirs.

Merlot dut reculer sa chaise au maximum de l'espace disponible pour y caser son ventre proéminent. Il devait tendre les bras pour poser ses mains sur la table. Il lissa son crâne chauve d'un geste content et se tourna d'un bloc, la nuque raide de l'homme qui ne travaille plus que du coude depuis longtemps, vers l'organisateur du tournoi :

— Eh bien mon ami, envoyez-nous des adversaires, que diable !

Pendant le tournoi, les challengers allaient se succéder. L'objectif était de guetter l'équipe qui les intéressait, celle du comptable, de se maintenir autant qu'elle pour quitter la compétition en même temps. On pourrait alors leur proposer avec le plus grand naturel de poursuivre ensemble, jusqu'à fermeture.

Ainsi fut fait malgré la volonté évidente de Merlot de plomber les parties. C'était incroyable de jouer aussi mal. Il avait assuré maîtriser les techniques de base, mais une fois de plus et comme en toute chose, il avait assez largement surévalué ses capacités.

Tenant ses cartes comme si cela n'avait aucune importance que chacun puisse les admirer, Merlot bavardait gaiement avec Jean-Marc, le comptable à qui on venait d'offrir sa quatrième tournée et qui commençait lui-même à confondre les trèfles et les carreaux.

Si son adversaire devenait aussi mauvais que son partenaire, Évrard allait avoir de plus en plus de mal à le laisser gagner.

— C'est quoi l'atout déjà ?

— Pique, répondit Évrard.

Comme il y a dix secondes, pensa-t-elle. Le comptable se tenait au courant à chaque tour avec une régularité de coucou suisse, ce type de coucou rabâcheur dont on espère claquer le bec à la prochaine sortie.

— Qui a pris ?

— Vous.

— À combien ?

— Cent trente.

Comment ce type pouvait-il tenir des livres de comptes ? Il était incapable de se concentrer plus de quatre secondes d'affilée. Après les Ricard en tout cas.

— C'est un grand homme qui nous a quittés ce matin, déclara Merlot avec l'emphase du type qui se sent légitime pour attribuer les galons. Il va vous manquer, on n'en croise plus tant que ça, des capitaines d'industrie.

Évrard n'était pas certaine qu'on pouvait parler de capitaine d'industrie, la fabrique de meubles ne figurant probablement pas dans le programme de rentrée du CAC 40, mais pour l'heure elle voyait son as troisième à pique qui pouvait faire chuter l'équipe adverse, et son cœur balançait.

— Ça, il va nous manquer, le Jacques, acquiesça Karim, le partenaire du comptable, la paupière lourde, la moue auguste.

— C'est quoi l'atout déjà ? Cœur ? demanda Jean-Marc avant d'abonder lui aussi. Un saint homme ! On va tous pointer au chômage dans moins d'une semaine maintenant, mais un saint homme !

— Non, atout pique. Tu t'égares, Jean-Marc, c'est le Ricard qui parle, n'embête pas nos amis avec ça.

— Ça va, Karim, tu le sais comme moi que la fabrique, dans un mois, elle ferme sans le patron. Qui est-ce qui a pris pique ?

Jean-Marc parlait sans agressivité, il faisait juste son connaisseur, mais son partenaire bougeait sur sa chaise, cet étalage lui paraissait inconvenant. Les deux hommes s'exprimaient avec un fort accent provençal, détachant les syllabes et prononçant tous les « e », même muets. L'instinct de mimétisme d'Évrard avait enclenché chez elle aussi le chant sur les fins de mots. Elle prit la parole avant que Karim ne recadre le comptable d'une nouvelle remarque.

— Personne ne va la reprendre ? Vous avez eu des visites ?

— Heu… Non. C'est quoi l'atout déjà ? fit le comptable en regardant autour de la table comme si celle-ci allait l'éclairer.

Comment pouvait-on jouer aussi mal, se désola Évrard. Pendant le tournoi, le niveau des autres était bon, mais eux… C'est sans doute pour ça qu'ils avaient si facilement accepté de disputer les parties : personne d'autre n'insistait pour les affronter, ils étaient trop mauvais, c'était pas drôle. Mais là, pour une fois, la doublette se donnait l'impression de ridiculiser le touriste, ils se sentaient dignes du coin et le comptable ça lui donnait des ailes, l'envie de fanfaronner. C'était là qu'il fallait appuyer, encore.

— Belle impasse ! apprécia Évrard alors que l'homme avait juste oublié que l'as de trèfle était tombé et qu'il était maître avec son dix. Ça, seuls les comptables connaissent l'avenir d'une entreprise.

— Tout juste, jeune fille ! Et je peux vous dire que si le patron, il n'était pas revenu chaque mois avec ses fonds personnels, il y a longtemps que la faillite était prononcée !

Des fonds personnels. À quelle hauteur, de quelle provenance, la fabrique servait-elle à blanchir des euros douteux ? Évrard sentit qu'ils avaient touché là à l'information capitale.

— Des fonds importants ?

— Jean-Marc, c'est pique demandé, concentre-toi au lieu de ressasser, tu nous fais attendre, là, avec tes histoires, dit Karim que ces questions indiscrètes commençaient à irriter.

— Ben, pas vrai Karim que sans ses sous au patron, on va couler ? Quand une boîte vend autant de meubles qu'elle a d'employés, c'est mathématique. Franchement, le Jacques, paix à son âme, mais c'est à croire qu'il ne savait pas comment le dépenser, son argent ! C'était pour servir, pas pour faire fortune, son entreprise.

— Elle paraît florissante pourtant cette fabrique.

— Un trou sans fond. Mais comme y avait de la ressource du côté du patron… Seulement les enfants, ils veulent pas reprendre et la veuve, bon ben, elle tourne à vide maintenant. Alors nous…

Les employés de l'entreprise, eux au moins, n'avaient aucun intérêt à assassiner Jacques Maire. Mais pourquoi jeter de l'argent à fonds perdus ? Chantage mafieux ?

— Il n'y avait pas un Serge Rufus qui devait reprendre la boîte ? Ou assurer la sécurité ? Il me semble avoir entendu quelque chose à ce propos… Aidez-moi, les amis, vous voyez de quoi je parle !

Non, les amis ne voyaient manifestement pas du tout de quoi Merlot parlait. Ils haussèrent les sourcils et Jean-Marc en profita pour demander à revoir le dernier pli, il ne se souvenait plus. Merlot sortit de sa poche intérieure le portrait tout chiffonné et à moitié rongé par son rat. Il le lissa sur la table et le tourna vers ses adversaires.

— Et lui ? Là il est déguisé en yéti, mais il devait pas reprendre ? Il n'est pas venu ?

Les deux joueurs secouèrent la tête négativement. Ça commençait à sentir le flic, on n'obtiendrait rien de plus. Les efforts devenaient inutiles, on pouvait conclure. Évrard, libérée, coupa l'as de Jean-Marc avec le dernier atout qu'il avait oublié de compter et joua sa longue à cœur, sans qu'ils puissent rien opposer.

— Vous êtes dedans, annonça-t-elle avec un soupir de soulagement.

— C'est nous qui avions pris ?

13

Pour cette nouvelle mission de liaison inter-services, le lieutenant Basile Diament, groupe Varappe, disposait d'une minuscule pièce sans fenêtre au fond du couloir du dernier étage avant les combles du 36. Une fois que les deux mètres et les cent vingt kilos du lieutenant étaient parvenus à se plier sur la chaise et à se glisser derrière le bureau, alors la pièce paraissait encore plus petite. C'était Gulliver au banquet des Schtroumpfs. Sauf que personne ne déjeunait plus avec ce Gulliver-là, privé de banquets depuis trois semaines.

Il pourrait bientôt revenir. Un collègue sympa lui avait dit que « c'était pour marquer le coup. Normal. Ça ne va pas durer. Tu remplis cette mission et retour au berçail ».

Il fallait.

Basile Diament n'avait pas tenu toutes ces années en grinçant des dents pour atterrir dans un bureau moins large que ses épaules. Il n'avait pas bouffé des couleuvres par nids de cinquante, debout derrière son guichet, et gravi chaque échelon les deux poings serrés dans les poches à s'en faire éclater l'uniforme pour craquer maintenant. Maintenant qu'enfin il avait accédé à la BRI, le Saint des Saints, un groupe d'élite, pour lequel il s'était entraîné jour et nuit, semaine et week-end, en pensant chaque fois que cette seconde d'entraînement supplémentaire le faisait passer devant le type qui se posait là-bas, pour se rafraîchir. Après avoir décroché des bourses d'études et fait la fierté de sa mère, le lieutenant Basile Diament n'allait pas renoncer à la moindre mise à l'écart. Ce n'était qu'un blâme. Rien qu'un blâme. Il faudrait courber l'échine et revenir. Comme au début.

Au début. Il se souvenait de ce premier jour de gardien de la paix, quand il avait passé son uniforme, refermé les boutons, bouclé la ceinture, coiffé la casquette. Il revêtait son habit de soldat de la République, il incarnait désormais l'ordre, la loi, la sécurité, pour tous. Il avait marché, droit, dans la rue, conscient de ne plus s'appartenir : dans ces vêtements, il représentait la nation, lui faire offense à lui, c'était l'offenser tout entière. Et si lui-même fautait, c'était la nation dans son ensemble qu'il entraînait dans ses manquements. Basile Diament avait le sens de ce qu'il représentait et de la confiance que les gens pourraient placer en lui. Il était là pour les défendre.

Dans l'armurerie, comme tous ses bleus de collègues, il avait souri à dents de gamin en recevant son arme de service. Son arme. Il l'avait soupesée. Il avait éjecté et replacé le chargeur, vérifié le cran de sécurité et glissé le pistolet dans son étui. Chaque geste guidé par les milliers d'images ingurgitées à la télé. Il mimait le pro, alors même qu'officiellement, il en devenait un. Le responsable de l'armurerie lui avait tendu son papier à signer.

« T'iras pas la revendre à tes potes de cité, hein »,
avait-il ricané en remballant son porte-bloc.

Quelle cité, quels potes ? Sa mère avait travaillé des
heures durant pour ne pas avoir à passer le périph. Elle
avait eu la chance d'y parvenir. Basile avait grandi rue
de Belleville dans le 20ᵉ arrondissement de Paris. Sa
mère, blanche ardéchoise, avait épousé son père, noir
antillais, et tous deux avait eu le fils, métis parisien.

Première affectation : la police aux frontières.

Son classement en fin de promo ne lui avait pas
vraiment permis de choisir mais c'était dans la région,
il était heureux.

Le jeune Diament avait pris son poste. En uniforme
et dans un aéroport en plus, la vie s'ouvrait, grande
comme Roissy-Charles-de-Gaulle.

Et les hommes maigres, au regard flou, avaient commencé à débarquer. Ils espéraient l'asile, présentaient
leurs faux papiers grossiers qui ne résistaient pas au
compte-fils de Basile. Il avait fallu leur parler, comme
s'ils n'étaient pas fatigués, leur expliquer que non.
Qu'il y avait une zone, plus loin, où ils pourraient
patienter, avant qu'on leur redise que non.

Diament ne faisait pas de politique, il n'avait pas
d'avis et savait que chaque décision se prend en haut
car c'est là qu'on sait quelle autre décision elle entraîne.
Diament disait juste non. Mais souvent, il avait l'impression d'être le seul à ne pas y prendre plaisir.

Parfois le gardien de la paix se demandait si son
métissage ne lui avait pas valu cette affectation. Si ce
n'était pas le plus sûr moyen de tester jusqu'où allait sa
loyauté. Si la hiérarchie ne craignait pas que la couleur
rende forcément frère, forcément complice, se figurant

les gangs qui se formaient au fil d'un nuancier Pantone. Dans son équipe, il avait quelques collègues maghrébins de la deuxième génération. En bizutage eux aussi ? Pourtant, la police comptait nombre de recrues d'origines variées maintenant. Les choses avaient changé.

Les choses. Mais pas tous les petits Blancs.

Le matin, Diament ouvrait son casier en ignorant les regards ironiques, les réflexions provocantes, plaisanteries bien sûr, faut avoir de l'humour, hein, on est tous du même côté. Pas vrai les gars ? Ces hommes, peu nombreux mais bavards, étaient des résidus de pensée, ils se gargarisaient du seul schéma qui leur accordait une importance. Ils étaient blancs, ils n'avaient que ça à faire, briller, alors ils astiquaient, pour gonfler leurs minuscules carcasses. Les deux mètres de Basile Diament lui épargnaient les confrontations directes, ça le dispensait de répondre. Il refermait son casier, vérifiait le dernier bouton de son uniforme et quittait le vestiaire. Il ne laisserait pas sa trajectoire dévier.

Sa mère l'avait mis en garde, tout jeune : « Jusqu'à 30 ans, ne réagis à rien, mon fils. Il n'y a pas de sages décisions qui se prennent avant d'avoir atteint cet âge. Tu dois tracer ta ligne jusqu'à tes 30 ans et là, tu t'arrêteras pour réfléchir et parler. Avant, c'est que des ennuis. »

Diament s'était bâti une façade de béton et d'acier. Les structures étaient rivetées, mais il y avait du jeu. Pas grand-chose. Mais que les vents soufflent trop, que la terre tremble un peu, et un jour le premier boulon tomberait, les autres suivraient. Pas tout de suite, espérait-il.

Il regagnait son poste, derrière sa vitre blindée, son tabouret.

Instinctivement, l'homme maigre se dirigeait vers lui. Dans son regard, une lueur, pas le grand feu mais le dernier souffle d'une allumette, vibrait en voyant la peau du gardien de la paix. Non, non surtout, lui intimait intérieurement Diament, ne laisse pas l'espoir s'emballer, ma couleur n'est rien. En tout cas, pas pour toi. Seulement pour eux.

Le soir dans sa chambre, Basile pleurait parfois, pour relâcher la pression et laver les rétines de ces visages en bout de course, mais pas arrivés encore. Déjà repartis, pour refaire en quelques heures un voyage qui avait pris des mois et des larmes. Quelques instants, Basile mêlait leur eau à la sienne. Traître aux deux camps.

Il avait tenu. Passé les concours. Gagné ses galons. Tracé sa ligne. Il n'avait pas 30 ans. Il continuait et, bientôt, il se retournerait.

Un instant, une seule seconde le mois dernier, il avait dévié à cause de cette exposition et il se retrouvait là. Dans le petit bureau.

C'était rattrapable.

Ouvrir les dossiers, assurer les liaisons et réintégrer le groupe Varappe.

Meurtre du commissaire Serge Rufus.

On lui avait dit : Ne donne que les dossiers sans intérêt, oublie les feuillets significatifs dans les rapports. On ne veut pas que les branques viennent enquêter où il y a matière, c'est-à-dire dans nos pattes. C'était pratiquement plié de toute façon. Ce matin, le type avait avoué.

Alors, quels dossiers les enverraient ailleurs ?

Diament sourit. Cette pile-là semblait tout indiquée.

14

Capestan traversait la pièce, les derniers dossiers en main. Le lieutenant Diament lui avait également transmis les vidéos de la caméra de surveillance du cimetière.

Dax, coiffé d'un casque avec micro intégré, tapait comme un dingue sur son clavier. En passant, Capestan aperçut l'écran où tressautait un paysage de lande couvert d'une armée de gnomes. Au premier plan, un troll à poil vert bondissait en chassant l'air de son épée.

— Dax ! Tu ne joues pas avec le suspect quand même ?

Les yeux hagards, le lieutenant répondit sans bouger le nez de l'écran et sans que le troll cesse de hacher l'ennemi :

— Ben si, c'est embêtant ? Il est super stylé comme je l'ai construit, c'est devenu mon avatar… De toute façon, c'est pas grave, on sait pas qui c'est ! On n'a pas son nom, alors…

— Et c'est un jeu en ligne, ça ? Tout le monde peut le voir…

— Oui, ça fait appel à témoins en même temps !

— Mais on n'a pas besoin d'appel à témoins ! On n'est

même pas sûrs que ce type ait un rapport avec le meurtre ! Pour l'instant personne ne l'a reconnu, on se base juste sur les souvenirs du vendeur. Si ça se trouve il confond, il se trompe de jour et cet homme venait chercher les tasses de sa petite sœur. Dax, il faut que tu...

Capestan se pencha subitement vers un angle de l'écran :

— Mais tu l'as appelé le Tueur en plus !

Dax stoppa sa partie, il sentait qu'on lui reprochait peut-être quelque chose. La voix basse, il répondit :

— Ben oui... Comme on connaît pas son nom, justement...

Le lieutenant paraissait tellement contrit, et sans comprendre pourquoi, que la commissaire n'eut pas le cœur d'insister. Elle se contenta de résumer :

— Écoute, pour des tas de raisons qui seraient trop longues à expliquer, je préfère vraiment que tu choisisses un autre avatar et que tu laisses celui-ci caché au fond de ton PC. Je peux compter sur toi ?

À contrecœur mais le sourcil froncé sur un authentique sens du devoir, Dax acquiesça.

— Je note.

Et de fait, il inscrivit « Ne pas jouer avec le suspect » en lettres capitales et colla le Post-it sur le tour d'écran, à côté du précédent.

La hiérarchie en visite se régalerait vraiment.

Capestan rejoignit la salle de billard où Rosière punaisait des guirlandes sur l'encadrement des fenêtres. Lebreton, Merlot, Évrard et Torrez y disputaient de nouveau une partie à trois contre un. Le rat couina quand Merlot manqua de l'écraser en se redressant après son coup sur la boule noire. Rosière eut un frisson de répulsion.

— Comment tu l'as appelé au fait ? demanda-t-elle, sans doute pour se familiariser et domestiquer sa peur.

— Ratafia, comme le dessin animé.

— Euh… C'est *Ratatouille*.

— Non, Ratafia, pour le jeu de mots.

— Oui, le jeu de mots c'est Ratatouille. Dans un film pour enfants, ils ont choisi un plat de légumes, pas un apéro.

— Eh ben, celui-là c'est Ratafia, conclut Merlot, mécontent qu'on le contredise pour des broutilles.

Puisque la conversation semblait avoir trouvé son terme, Capestan agita la grosse enveloppe kraft.

— J'apporte de l'estampillé 36 !

— On a la vidéo pour la caméra du cimetière ? s'enquit aussitôt Rosière.

— Oui.

La capitaine opéra un demi-tour froufroutant, se cala une punaise entre les dents et reprit l'accrochage de l'épaisse guirlande rouge.

— Bon, ben c'est qu'il n'y a rien dessus alors…

— Eva…

— Anne, tu le sais comme moi, allons ! interrompit Rosière en soufflant par-dessus son épaule. Tes dossiers, là, c'est quoi ? Ça date de ce mois-ci, du mois dernier ?

Capestan souleva rapidement les angles de la pile et reconnut :

— 1998, 2002, 1999…

— Les relevés bancaires, laisse-moi deviner… Ils n'ont pas retrouvé les plus récents.

— Exact.

Capestan commençait à connaître Rosière : là, elle était dans un mauvais jour et poursuivait son dévidage.

— Grosso merdo, si on a l'affaire Rufus c'est parce que tu connais la victime et que tu es susceptible d'obtenir des informations exclusives de son fils. Nous, si on se pose le cul par terre pour jouer aux billes, ça défrisera pas un galon.

Elle avait raison, absolument raison. Sur le fond. Pas sur le ton.

— C'est certain, Eva. Et alors, ça te retient ? Depuis quand ? Tu nous arraches un trophée à L'Isle avec la double identité et ensuite tu reviens ici accrocher tes guirlandes en pantoufles, fin du job. Tu vises déjà la retraite ? Je sais que non, alors arrête parce que ce plomb ça coupe des pattes déjà courtes. Et puis…

Capestan décocha son sourire de satisfaction haut niveau.

— … n'oublie pas qu'on enquête ailleurs et qu'on a pris de l'avance. Là, les gars, ils sont en train de faire les gros bras à retourner les matelas de tous les mafieux du secteur, sans rien dénicher dessous. Leur garde à vue, ça va rien donner, et nous on a cent pistes.

— Ça va, tu as raison, Anne. Toutes mes confuses…

Il fallait reconnaître à Rosière une certaine promptitude à admettre ses torts et reconsidérer ses humeurs. Elle enchaîna :

— D'ailleurs on ne s'est pas contentés de faire tchatcher la veuve ou de jouer à la belote. On a creusé nos découvertes aussi.

Capestan s'assit dans un des fauteuils club autour de la table basse. Ses collègues allèrent chercher quelques dossiers, des carnets et des tabourets puis l'entourèrent, à l'exception de Torrez qui cala une fesse sur le bord du billard. La commissaire posa un bloc format A4 sur son accoudoir et cliqua sur le sommet de son stylo.

— Qu'est-ce qu'on a, qu'est-ce qui manque ? Jacques Melonne, donc, on sait qui c'est ?

— Pas encore. Il s'appelle Jacques Maire depuis avant Internet, donc le nom de Melonne n'apparaît pas si on le googlise. Orsini s'est lancé sur les archives presse, mais juste un nom sans rien pour étoffer, il a peu d'espoir. Oui, si, bien sûr, ajouta Rosière avant que Capestan qui levait la tête ne le dise, il cherche en croisant sur Rufus. Mais pour un passé dans le banditisme, le Fichier central de…

— Je sais, on n'a pas accès, grinça Capestan.

— Mais si, ironisa Rosière, à condition d'en rédiger la demande en trois exemplaires et de patienter jusqu'à la sortie de *Star Wars 22*.

Henri Saint-Lô avait apporté un tabouret. On écarta le cercle pour lui aménager une place. D'un geste précis de saltimbanque, il fit tournoyer le siège entre ses doigts avant de le déposer et de s'y installer en un saut feutré. À ses côtés, le bas peuple semblait chaussé de béton. Pourtant ses démonstrations d'habileté n'avaient pas vocation à épater la galerie, on sentait un authentique amour du beau geste. Il jouait sa vie en grand angle, dans une dimension qui jouxtait le monde réel. Il était tout près, mais tout seul. Fronçant les sourcils, il fit comprendre qu'il écoutait. Capestan reprit.

— On ne peut pas non plus comparer les armes, regretta-t-elle. Tant pis, on fera sans. L'argent de la fabrique de meubles, on a pu en retracer l'origine ?

— Suisse, répondit Évrard. Il avait une voiture de fonction avec un abonnement au péage et une carte Total. On est parvenus à convaincre le comptable de nous copier les documents. On retrouve les mêmes étapes chaque mois. Ce n'est pas la provenance du pognon bien sûr, mais la balade mensuelle du blanchiment, c'est via Genève.

— Bon, provenance douteuse, on peut imaginer.

— Tu m'étonnes.

Pilote mit à profit la seconde de silence qui suivit pour décrocher un puissant bâillement qu'il acheva dans un couinement satisfait. Il souleva ses cuisseaux l'un après l'autre, puis s'étira, pattes avant, pattes arrière, et trottina vers la sortie pour rejoindre sa gamelle, non sans avoir reniflé une chaussure de Torrez au passage. Le rat gicla de la poche de Merlot pour gagner son épaule.

— Tout cela nous donne quand même une date, remarqua Saint-Lô en frisant pensivement sa moustache.

— C'est-à-dire ?

— Ce n'est point en tant que baronnet que Maire a pu s'exposer à quelques périls poussant à l'occire, c'est à coup sûr dans la période d'ombre. D'où le changement de nom pour les éviter. Le lien entre les victimes date donc d'avant. Il y a vingt ans ou même dans leurs vertes années.

Capestan en était arrivée à la même conclusion. Et il y a vingt ans, elle savait où bossait Serge Rufus.

— On doit trouver quand Rufus a croisé Jacques Melonne avant que celui-ci ne change de vie. Vingt ans, c'est la période où Rufus est muté à Paris, juste après Lyon. Maintenant, comme nous ne disposons pas de dates précises, je pense qu'il faut chercher sur les deux régions. En tout cas, faut fouiller les vieux machins oubliés, fit Capestan en agitant les dossiers fanés du 36, le sourire en coin.

— Et c'est là que les cadors de l'officiel l'ont dans l'os ! réagit Rosière.

— Exactement ! abonda Capestan, le sourire s'élargissant au fur et à mesure de la prise de conscience de ses équipiers. On n'a que du vieux, là-dedans ! Du sans intérêt !

— Les cons !

— Ça va, Eva, ce sont des collègues…, tempéra Lebreton, la mine réjouie.

Alors que tous les cinq compulsaient les dossiers, les annotaient et listaient les questions soulevées au fur et à mesure, Lebreton en revint à la plaque de rue et au monument aux morts.

— Les dates de naissance de Rufus et Melonne, finalement ? Elles sont accessibles ?

— Pendant que vous étiez en Provence, on a tous cherché sur le Web par les biais autorisés, sans rien trouver. D'après Dax, il faut sauter quelques barrières sur les sites administratifs pour les avoir. Rien d'extrêmement complexe, mais il faut malgré tout quelques notions de piratage.

— Le tueur sait hacker alors ? Un jeune ? Les victimes sont assez âgées, pourtant.

— Non, le plus probable, c'est que le tueur connaisse les dates de naissance parce que c'était un intime, lança Torrez depuis son perchoir.

De la main gauche, il lançait machinalement la boule blanche qui rebondissait contre les bandes avant de revenir droit dans sa paume.

— Alors, retour à un tueur du même âge et aux fouilles du passé. Torrez, réfléchit Capestan, on n'a pas l'historique de Jacques Maire, mais Rufus, lui, on sait où il a fait ses études, écoles, etc. On a sa fiche RH, non ?

— Oui. Tu veux que je regarde dans ses classes et à la fac si on retrouve Jacques ?

— Ça vaut le coup d'essayer.

Planches sous le bras, Lewitz entra dans la pièce à pas de loup, leur faisant comprendre d'un discret signe de la main de ne pas faire attention à lui. Il entreposa son matériel le long du mur du fond et ressortit sur une ostensible pointe des pieds.

— On a croisé des coups de fil communs sur les relevés ? demanda Rosière.

— Non, on a vérifié avec Dax, rien de spécial. Mais Orsini examine les comptes de la société et leurs relevés Orange, gentiment photocopiés par le comptable eux aussi. Ça donnera peut-être quelque chose. On verra demain, conclut Torrez en descendant de la table.

Dix-huit heures. Il partait. Ce qui fit soudain germer une idée dans l'esprit de Merlot, qui en sursauta :

— Eh, ce soir nous avons la retransmission du concours Miss France !

Comme si l'information tombait fort à propos, Rosière enchaîna.

— Ah oui, c'est bien, ça, l'élection de Miss France. On peut se faire une soirée spéciale.

— Je ne sais ce que vous en pensez, très chère, mais j'appréciais peu cette Geneviève et ses préceptes d'un...

110

— Au contraire ! Elle les tenait bien, ses petites, et…

Il était désormais inutile de chercher à interrompre le flot d'arguments de Merlot et Rosière qui, sans se soucier de leurs camarades encore assis, se dirigeaient vers le salon et son vaste écran plat. Saint-Lô les suivit de son pas décidé d'homme d'action. Lebreton et Évrard regardèrent leur montre, haussèrent les épaules et après un coup d'œil à la commissaire se levèrent aussi. Elle opina et poussa de ses bras sur les accoudoirs pour s'extraire du profond fauteuil club. Elle vérifia son portable sur lequel s'affichait un appel manqué de Buron. Avant de gagner le salon à son tour, elle décida de rappeler.

— Bonsoir monsieur le directeur, vous avez cherché à me joindre ?

— Oui, Capestan, bonsoir. Voilà, je voulais vous tenir au courant… L'un des suspects de la BRI a été déféré au Parquet. Il a avoué que l'arme était à lui, enfin « avait été ». Il n'a aucun alibi la nuit du meurtre, un casier long comme le bras, des marques de coups sur les phalanges… Bref, c'est fini.

— « Avait été » ?

— Oui, il affirme l'avoir vendue, bien entendu.

— À qui ?

— Un type avec une barbe et des lunettes ! Franchement, quand ils se foutent de nous, ils pourraient y mettre un peu de subtilité.

C'était ça, on tenait une piste sur l'arme. Ce n'était pas fini du tout.

— Non, non, ça correspond à notre portrait-robot. Vous oubliez notre cadavre de L'Isle, c'est impossible de clore l'affaire en négligeant cette partie…

— Je n'oublie rien, Capestan, justement. Le suspect vient de passer trois ans à Carpentras, à vingt kilomètres de L'Isle-sur-la-Sorgue. Je crois vraiment que c'est bouclé, commissaire. Je suis désolé. On va rassembler tous les éléments et…

— Non ! Non, non. Accordez-nous quelques jours d'indépendance encore, sinon nos recherches se feront écraser. Le type de la garde à vue, j'ai lu son dossier, ça n'a aucun intérêt, il n'aurait jamais imaginé la moindre mise en scène…

— Le dossier du suspect. Il était complet ?

Capestan marqua un silence, dents serrées. Buron venait de viser juste. Quand bien même, elle ne renoncerait pas, pas au stade de découvertes où ils étaient parvenus.

— … Non, peu probable. Mais ce n'est pas lui. Appelez ça de l'orgueil ou de l'intime conviction, comme vous préférez, mais…

— Accordé, Capestan. Si vous souhaitez continuer, allez-y, je ne communiquerai que l'absolu nécessaire au Palais. Mais ne vous faites pas d'illusions.

Buron la contrariait souvent, mais la décevait rarement. Capestan espérait pouvoir lui rendre l'exacte réciproque.

— Merci monsieur le divisionnaire.

Les troupes réunies s'agitaient maintenant autour de ses nouveaux objectifs : trouver la chaîne, ouvrir du rouge ou du blanc… L'équipe avait l'air bien décidée à squatter le canapé pour l'élection de Miss France. Évrard commençait à agencer le foyer de la cheminée : un peu de journal froissé, des brindilles, du petit bois et trois énormes bûches. La lieutenant ne comptait manifestement pas partir avant la fin de l'émission.

— Les feux sont interdits à Paris, non ? demanda Dax.

— T'es de la police des cheminées ? répondit Évrard, sourire aux lèvres, sans dévier de sa tâche.

Dax sourit en retour, puis sembla s'interroger sur l'existence de cette police.

— Tu crois qu'elle intervient sur dénonciation ou en surveillant les toits ?

Évrard lui adressa une moue d'ignorance, tout en frottant ses mains sur son jean pour en chasser la poussière.

Saint-Lô, assis sur le rebord de la fenêtre, contemplait la nuit tombée. Son regard suivait les tuiles sur les toits, le dernier vol des pigeons et le reflet orange des lanternes sur le pavé. Cheveux mi-longs, nez fort, barbe taillée court et moustaches gaillardes, il avait un profil de monnaie ancienne.

— Pizza ? proposa Capestan, en jetant un œil à Lebreton qui, tout comme elle, restait plus pour l'ambiance que pour le programme.

— Non ! Bolognaises ! déclara Lewitz avec force mouvements de mains qui devaient lui évoquer l'Italie. Spécialité Lewitz, les enfants, vous m'en direz des nouvelles !

Depuis la cuisine, maculée de taches de sauce jusqu'au plafond, Capestan entendit Merlot s'exclamer :

— Et toujours des robes à froufrous ! Mais quand passent-elles en maillot, pour l'amour de Dieu !

La voix d'Évrard répondit :

— Elles sont déjà passées en maillot...

— En robe aussi, elles sont déjà passées !

113

Rosière, à l'aide des couverts, vidait les assiettes dans la poubelle avant de les charger dans le lave-vaisselle. Sans ralentir son va-et-vient, elle s'enquit :

— On n'a rien de folichon dans les dossiers de Diament quand même. Et pas de Melonne.

— Non, on perd du temps. Il nous faudrait l'intégrale de la carrière de Rufus et s'y attaquer une bonne fois pour toutes. Ça réglerait la question du banditisme et d'une collusion professionnelle. Je vais les réclamer à Buron, ainsi que les archives lyonnaises. Je sais pas pourquoi, je sens la boussole plus au sud.

— Il va te les donner, tu crois ?

— Non, je ne pense pas, répondit Capestan en songeant à son dernier appel et la proche conclusion de l'enquête. Ça n'empêche pas d'essayer.

De la tranche d'un couteau, Rosière racla des restes de fromage fondu sur une assiette, puis, le nez tourné vers le lave-vaisselle, elle se décida à demander :

— Et le fils, tu l'interroges quand ?

Une question légitime, à laquelle Capestan n'avait pas la moindre intention de répondre. On l'avait convoquée sur cette affaire pour une proximité qu'elle refusait obstinément d'exploiter. Ses considérations d'ordre privé n'avaient pas à se soumettre aux calculs ou aux espoirs de ses hiérarchies et collègues.

Elle ne voulait pas « interroger » Paul. Et elle avait trop envie de le revoir pour jouer les rencontres informelles.

Le silence qui durait au-dessus du lave-vaisselle lui rappela la présence de Rosière.

— Quand je veux, Eva, pas avant.

15

Alexis Velowski posa son plateau et son journal encore plié sur sa table de chevet. Il fit bouffer les deux gros oreillers qu'il remonta consciencieusement le long de la tête de lit. Il quitta ses chaussons, souleva le coin de sa couette sous laquelle il se reglissa pour son plaisir du matin : petit déjeuner-lecture. Il aimait cet instant de calme et de paix, dans cette chambre au plafond rayé de poutres apparentes, dont la petite fenêtre percée dans les murs épais donnait sur un coin de ciel et un bout de clocher. Une fine couche de buée rappelait qu'on était mieux ici que dehors. Après des années de trauma et de lutte acharnée, il était enfin parvenu à recouvrer une certaine sérénité, fragile mais reposante.

Alexis but une gorgée de thé, mordit dans sa tartine et reposa la tasse sur la sous-tasse au centre du plateau. Puis il déplia lentement les grandes feuilles du *Progrès* de Lyon.

Il survola d'abord le national et l'international, fit une incursion du côté des pages du programme télé, et reprit sa tartine en main avant d'attaquer la rubrique nécrologique.

La troisième annonce le figea dans son mouvement.

« L'association du Souvenir Tenace est au regret de vous annoncer le décès brutal d'Alexis Velowski. Les funérailles auront lieu en l'église Saint-Paul, le 8 décembre. Sans fleurs, ni couronnes, ni amis. »

Une sueur froide glaça son pyjama. Le 8 décembre, c'était aujourd'hui. Velowski se tourna vers son réveil. 6 h 27.

Il devait réagir, vite. Oublier la terreur qui le clouait au lit, bouger. Vite.

Il se leva d'un bond, aiguillonné soudain par un flot d'adrénaline qui lui ébouillantait les muscles et allumait tout en grand dans son cerveau. De la méthode. Son sac.

Dans le bas de son armoire, il trouva le sac à dos noir, en nylon ultraléger. Il y glissa deux tee-shirts, deux caleçons, la clé, son manuscrit.

Il se dirigea rapidement vers la salle de bain, réunit quelques affaires de toilette qu'il fourra dans une trousse au hasard. S'il survivait jusqu'à la prochaine douche, il achèterait les produits manquants. Il passa un pantalon noir, des chaussettes, ses baskets, et enfila un pull directement par-dessus sa veste de pyjama. Vite.

Le sac dans la main gauche, il saisit sa parka sur le portemanteau. Plus par automatisme qu'autre chose, il versa une poignée de Quality Street dans sa poche et ouvrit la porte d'entrée. Qu'il claqua derrière lui. Ce n'est qu'après avoir descendu les premières marches au pas de course qu'il réalisa qu'il ne s'était pas même offert un dernier regard sur son appartement du Vieux-Lyon.

Église Saint-Paul. L'adresse le frappa soudain.

Il habitait en face, juste en face.

Il n'avait pas encore atteint le hall d'entrée de son immeuble. Il restait deux étages à descendre. Le cœur battant, Velowski prit le temps d'une courte pause sur le palier. Les pulsations résonnaient dans ses oreilles, marquant les secondes. Il ne pouvait pas rester, trop dangereux. Il ne pouvait pas sortir non plus, trop dangereux.

Le moins risqué. C'était quoi le moins risqué ?

Son instinct de survie le poussait vers la sortie, vers la fuite. Mais c'était du Néandertal, ça, du cerveau reptilien, ce n'était pas une décision.

Alexis avait chaud, à Lyon, en hiver. Un 8 décembre. La fête des Lumières. La sainte Vierge Marie n'aurait d'yeux que pour les milliers de bougies aujourd'hui, les illuminations qui la célébraient détourneraient tout son amour, elle n'entendrait que la vaste prière du peuple de sa ville, et la voix d'un minable pécheur qui l'implore en expirant n'atteindrait jamais son infinie compassion. Il mourrait sans pardon.

Pas aujourd'hui, il ne pouvait pas mourir aujourd'hui. Pas déjà. La minuterie s'éteignit. Il fixa le trou sombre où l'escalier déversait ses marches. S'y jeter, dégringoler, avancer.

Après une courte hésitation, il ralluma, guettant les bruits, et entama la descente.

Au dernier virage, il se pencha par-dessus la rampe et détailla le hall en contrebas. Les poubelles était sorties et le renfoncement après la rangée des boîtes aux lettres était vide. De là, il n'y avait pas d'angle mort, le lieu était sûr, il pouvait descendre les dernières marches et poser pied. 6 h 43.

Est-ce qu'on assassine si tôt ?

Peut-être qu'il ne serait pas encore levé.

C'était sa chance.

Il fallait sortir maintenant.

Velowski serrait et resserrait l'anse de son sac dans sa main. En se contractant ainsi sur la lanière, sa poigne semblait réfléchir pour lui, son bras voulait renoncer au sac. Le cacher ? Oui. Oui, c'était la meilleure option, le cacher. Dans le placard du compteur électrique, ce serait rapide et sûr quelque temps, le releveur était passé la semaine dernière. Pas l'armoire du hall, trop évidente, celle du premier. Elle était un peu plus grande, d'anciens WC transformés. Alexis remonta la volée de marches à la hâte, ouvrit le sac, y récupéra la clé, le referma puis le tassa au fond, à gauche du compteur. Il écouta. Rien.

Il redescendit et tira doucement la lourde porte de son immeuble Renaissance. Alexis survola du regard la paisible place Gerson. Les voitures stationnées sous les arbres dénudés, les pavés disjoints et les murs de l'église trapue assise sur son large trottoir. À gauche, quelques mètres en surplomb, le grillage de la voie ferrée qui menait de la désuète gare Saint-Paul aux banlieues vertes de l'Ouest Lyonnais. Peu de trains, pas de bruit. Le café-théâtre, seul commerce de la place, perché en haut de son petit escalier, ne risquait pas de se réveiller avant le soir. En attendant, Alexis était seul ici, sur cette place oubliée. Il ne voyait personne et il avança.

La porte claqua pesamment dans son dos.

— Bonjour Alexis.

Velowski sursauta et se demanda si cette douleur était une crise cardiaque. Ou juste de la peur. Il tenta de se reprendre, de se composer un visage accueillant.

— Je t'attendais, j'ai tout gardé. Je vais tout te donner.

— Je sais, Alexis.

16

En cette heure matinale, après les dernières tournées de nuit et avant la pleine activité du jour, le vaisseau amiral du 36 naviguait en eaux calmes. Peu d'hommes sur le pont, le silence régnait en maître, profitant des courtes minutes qui lui restaient encore. Seule la machine à café délivrait quelques gobelets qui, tenus machinalement par des mains fatiguées, se promenaient le long des couloirs désolés. Capestan avait vidé son propre gobelet avant de se présenter à Buron. Elle savait qu'elle n'obtiendrait pas facilement les dossiers d'archives, en particulier les lyonnais. Le directeur ne brûlerait pas une cartouche « faveur » pour faciliter le travail de cette brigade. Surtout pour une affaire soi-disant résolue. Les Innocents n'étaient pas censés déranger, juste rendre service à l'occasion, mais discrètement.

Buron l'accueillit néanmoins en ouvrant grand la porte, le sourire franc, le geste patriarche. Après les salutations d'usage, il l'invita à s'asseoir et s'installa lui-même derrière son bureau.

— Et le petit dernier, D'Artagnan, comment va-t-il ? Toujours immortel ?

— Non, en fait, ce n'est pas un immortel, plutôt un voyageur dans le temps…

— Ah oui, en effet, rien à voir ! s'esclaffa Buron, en soulevant quelques papiers.

— Non, rien, puisque ça implique qu'il arrive directement du XVIIᵉ sans être passé par les autres siècles. Il se serait réveillé en 1982.

— Oui, fit Buron en abandonnant enfin ses recherches et en croisant les mains sur son bureau, je vois qu'il va beaucoup mieux.

Capestan se contenta de hausser les épaules. Henri avait parfois dans les yeux une nostalgie d'exilé qu'aucune terre ne semblait pouvoir combler. S'il ne venait pas du XVIIᵉ, il en affichait de toute façon les symptômes. Il était seul, décalé, déplacé, sans amis ni parents qui le rattachent au fil du temps. C'était sa réalité à lui.

Pour un flic, Capestan accordait peu d'importance à la notion de vérité. Lorsqu'un homme lui disait qu'il était une femme, elle le croyait, quand un mythomane s'améliorait l'existence à coups de délire, elle l'écoutait, et si une ancienne gloire évoquait ses admirateurs du jour, elle la félicitait. Le rétablissement de la vérité n'avait aucun intérêt s'il s'agissait juste d'arriver, de piétiner les rêves ou les reconstructions avec les godillots du rationnel, puis de repartir, souverainement indifférent, comme le dernier des sagouins.

— Après tout, peut-être qu'il a vraiment voyagé dans le temps, répondit Capestan, songeuse.

Une expression de surprise, presque de révolte, passa sur le visage de Buron. Mais il se reprit et contempla la commissaire avec fatalisme. Sa logique lui échapperait toujours un peu, c'était ce qui le distrayait.

— Typique, lâcha-t-il avec un mouvement de main qui chassa cette question désormais sans importance. Plus sérieusement, Capestan, qu'est-ce qui vous amène ? Je n'ai pas toute la journée.

C'est à partir de là que le directeur répondait non, systématiquement.

— Ce qui relie Rufus à Melonne doit dater du début des années 1990. Avant de rejoindre la BRI, je ne sais pas si vous vous en souvenez, mais Rufus est passé par Lyon, il enseignait à Saint-Cyr d'ailleurs…

— Oui, vaguement, et alors ?

— J'aimerais avoir les archives lyonnaises de l'époque, les affaires dont il s'est chargé. J'imagine qu'il y en a un monceau, mais si on retrouve le nom de Melonne ou quelque chose dans l'une d'elles…

— Vraiment ? Vraiment, Capestan ? Il va falloir que j'appelle Lyon, que je demande un service et devienne donc le débiteur de toute la hiérarchie locale, juste pour éplucher au hasard des dossiers, des fois qu'un nom ressorte de ces milliers de feuillets ?

— Vraiment, monsieur le divisionnaire, j'apprécierais, oui.

— Vous me contrariez, commissaire.

— Je n'ai aucun mérite.

Buron réprima un sourire et se décida à rapprocher son bloc-notes. Il ôta le capuchon de son stylo, nota la demande et le reboucha.

— Bien. J'aviserai en fonction de mes humeurs. Autre chose ?

— Sans vouloir abuser…

— Naturellement…

— N'est-ce pas. Si le dossier est bouclé pour la BRI et la Crim, je veux bien recevoir les pièces qu'ils avaient conservées à leur usage exclusif : finances récentes, etc. Et les archives antigang de Rufus, l'intégrale en fait, ainsi on fermerait toutes les portes.

— Moui…, marmonna Buron, notant toujours.

— Et enfin : plaque de rue, monument aux morts… Si vous croisez des meurtres curieux en ce moment, ici ou ailleurs, et que vous pouvez les partager…

Buron hocha la tête.

— J'y avais pensé tout seul, ça, figurez-vous, mais pour l'instant, rien à déclarer, dit-il en forme de conclusion tout en appuyant ses deux grandes mains sur son bureau pour se lever.

Capestan se leva elle aussi. Tandis qu'il la raccompagnait à la porte, elle en revint à Henri Saint-Lô.

— Vous savez que sa date d'embauche, c'est 1612 ?

— Oui, son dossier s'est perdu au cours d'une mutation dans les années 1980. À chaque fois qu'on lui demandait son premier poste, il répondait « Mousquetaire du roi ». Un jour un plaisantin a cru bon de l'enregistrer et depuis…

Buron eut une moue dépitée et releva ses lunettes sur son crâne avant de poursuivre :

— Les mystères insondables de l'administration ont fait le reste…

— Il doit toucher une sacrée prime d'ancienneté.

Le sourire du divisionnaire se figea en évaluant la somme. En bon gestionnaire, il pensait que les blagues les plus drôles étaient les gratuites. Mais Capestan ne s'alarma pas trop pour le salaire de Saint-Lô, aussi puissant et manipulateur que fût Buron, il était certaines machineries RH qu'on ne pouvait faire plier.

Sur la vaste console du directeur général de la Police judiciaire, une diode clignotante annonçait un appel entrant. D'un pas, Buron regagna son bureau avant de décrocher et d'enfoncer un bouton.

— Oui ?

Il écouta quelques secondes, tout en observant Capestan.

— On vient de le découvrir ?... Bien. Appelez le préfet du Rhône pour moi, s'il vous plaît. C'est un ami, j'aurais une faveur à lui demander. Merci, à tout de suite.

Le divisionnaire raccrocha et se tourna vers Capestan, avec le sourcil en circonflexe de l'homme content de ménager ses effets.

— Vous vouliez du lyonnais et du bizarre, commissaire, vous voilà doublement servie.

Le velours rouge de la banquette s'élimait presque là où, chaque jour, Saint-Lô venait petit-déjeuner aussi discrètement que possible d'un pain et d'un demi-saucisson. Dans cet hôtel particulier du musée Carnavalet, il aimait plus que tout autre le tableau de François Bunel le Jeune représentant une procession de la Ligue dans l'île de la Cité. Même s'il ne prisait pas la Ligue en soi, cette foule sur le pavé l'émouvait.

Sur la toile à droite, un moine pansu lui évoqua le capitaine Merlot, son compère. Il cousinait bien avec ce Merlot. Une belle connivence se faisait jour entre eux, avec ce goût commun du verbe fort et des vins rugueux. L'appartement aux Innocents était chaleureux aussi et les troupes moins chamailleuses qu'à l'ordinaire. Point d'embufades ou de clabaudages, mais de l'agissement et de la fraternité.

Bientôt 10 heures. Il ne fallait pas que Saint-Lô reporte plus longtemps, il devait honorer son rendez-vous mensuel avec le professeur Stein. Il lui faudrait encore dire et redire sa râtelée de son enfance, du haras, de l'escrime, des heures de lecture, de la véraison et de la mort. Et toujours cette sensation que l'homme de science cherchait à le piéger.

— Ce tableau est tellement beau, soupira-t-il en se levant et recoiffant son chapeau à large bord.

17

Un nouveau meurtre, à Lyon cette fois. La boussole était bien au sud. Buron leur avait obtenu une « visite amicale ». Il avait fallu réagir vite. Capestan et Torrez étaient partis par le premier TGV, à charge pour Lebreton d'organiser les départs suivants. On ne disposait que de deux jours pour couvrir les recherches sur l'affaire et ses similitudes avec les deux autres, on ne serait pas trop de tous pour arpenter le terrain.

Sur la plate-forme entre les wagons, Capestan et Torrez s'étaient relayés pour appeler les hôtels qui leur riaient au nez. Une chambre ? Le 8 décembre ? C'est pour eux qu'il fallait allumer un cierge. Des millions de visiteurs déferlaient sur la ville. Au final, ils en avaient dégoté quatre, Lebreton poursuivrait l'effort.

Le taxi dans lequel ils étaient montés à la gare de la Part-Dieu les déposa à l'entrée de la place Gerson, du côté de Saint-Paul. Une nostalgie brutale vrilla l'estomac de Capestan. Elle inspira et contempla ces façades familières droit dans les pierres pour se rétablir. Elle régla la course. Torrez, qui devenait nerveux maintenant qu'il allait croiser de nouveaux collègues, potentielles victimes de sa scoumoune galopante, attendait debout à côté de la commissaire que celle-ci ait boutonné son manteau noir et calé l'anse de son grand sac en cuir. Mains enfoncées dans les poches de sa canadienne, chaussures de marche ancrées dans le sol, le lieutenant ne semblait pas vouloir bouger d'un iota sans qu'elle le précède. Elle le regarda, lui sourit.

— On y va. C'est du bizarre, il paraît.

Ils passèrent sous la rubalise, sans qu'aucun flic ne s'approche pour vérifier leur identité. Alors qu'ils avançaient à la rencontre du groupe de policiers affairés autour du cadavre, ce même groupe s'élargissait, reculait, se reformait au fur et à mesure, tel un banc d'anchois sous les mâchoires du requin. L'ombre de Torrez les terrorisait.

— Tu es une célébrité de dimension nationale, José, glissa Capestan à son binôme.

— J'ai travaillé dur pour y parvenir, plaisanta le lieutenant d'une voix qui cachait mal son abattement.

— T'inquiète pas. Au moins nous aurons tout l'espace nécessaire pour observer.

Avant d'arriver au cadavre, Capestan s'écarta pour saluer son homologue lyonnais. Torrez resta planté, telle une pointe de compas au centre de son désert éphémère.

— Bonjour. Je suis la commissaire Capestan, nous…

— Oui, bonjour, on nous a prévenus. Commissaire Pharamond, fit l'homme, la cinquantaine grisonnante et mal peignée, mais l'œil vif malgré ce réveil en fanfare et gyrophares.

Ils échangèrent une poignée de main cordiale. Pharamond désigna le corps qui gisait sur une place de stationnement inoccupée.

— D'après les premières constatations, étranglement. Pour moi, ça a eu lieu tôt ce matin, parce qu'ici, jusqu'à la fermeture des clubs sur le quai, c'est impossible de se garer.

Capestan sourit.

— C'est ce qu'on appelle la connaissance du terrain.

Pharamond acquiesça, goguenard.

— On a retrouvé son portefeuille sur lui, avec de l'argent dedans. Alexis Velowski. Il habitait dans l'immeuble juste au-dessus. Les voisins nous ont indiqué l'étage. Il n'avait pas de clés sur lui. On a sollicité un serrurier et c'est là qu'on a trouvé le journal annonçant sa mort.

Capestan hocha la tête.

— Il n'avait pas de clés ?

— Non, pas de clés, et la porte était simplement claquée avec un trousseau à l'intérieur… Soit il les a oubliées en partant, soit il avait un double que le tueur a emporté.

— S'il a lu le journal, il était sûrement pressé et distrait.

— Oui. Enfin, vous verrez, il a pris le temps d'emporter des chocolats, acheva Pharamond sur un ton taquin.

La curiosité éveillée, Capestan passa près de Torrez pour l'inviter à la rejoindre et ils se dirigèrent tous deux vers le cadavre, que le reste de la police abandonna subitement comme un joueur de bonneteau délaisse son carton à la première alerte.

L'homme étendu là devait avoir une soixantaine d'années, la silhouette mince, sans rien de véritablement remarquable. Son pantalon noir était de bonne coupe, un vêtement de prix sans doute, tout comme le pull en cachemire et la parka. Du pull dépassait ce qui semblait être une veste de pyjama. En effet, une tenue choisie à la va-vite.

Le visage congestionné avait bleui, l'oreille gauche saignait et les yeux étaient parsemés de points rouges. La bouche grande ouverte pour aspirer un air évanoui avait été farcie à ras bord de Quality Street. Dans cette coupelle macabre, les papiers brillants roses, verts, bleus, orange surgissaient en une explosion de couleurs d'une gaieté malencontreuse.

Comme toujours, le spectacle de la mort brutale et de l'irréversible imposait son temps de silence. Au bout d'une longue minute, Torrez remua imperceptiblement dans sa canadienne :

— Ils ne sont pas bons, les roses, ils sont fourrés avec une espèce de crème blanche au sucre… Je préfère ceux à la noix de coco, mais je ne me souviens jamais de la couleur.

— Bleus. À la noix de coco, ce sont les bleus, répondit Capestan en observant l'étrange mise en scène.

On avait littéralement l'impression que l'homme était mort étouffé par les caramels. S'il s'agissait du même tueur que pour Rufus et Melonne, il avait renoncé au pistolet et au silencieux. Parce qu'il détestait spécialement cette victime et voulait la tuer de ses mains, ou était-ce pour le plaisir de cette mise en scène humiliante ?

Cet homme-là n'avait pas été battu. On n'avait pas eu besoin de le faire parler. Soit il ne savait rien que le tueur ignorât, soit il avait tout balancé sans résistance.

Le commissaire Pharamond s'approchait et instinctivement, Torrez rejoignit la ruelle adjacente. Capestan attendit son homologue.

— Ils vont retirer le corps si vous avez fini. Nous, on visite encore l'appartement, photos, enquête de voisinage et tout le tralala d'usage. On en a pour la journée, je pense. Mais si vous voulez, demain, je vous passe les clés et je préviens pour les scellés. Vous vous ferez votre propre idée.

— Ah merci, ce serait pratique en effet. Sur l'enquête de voisinage vous croiserez certainement mes hommes aussi, on a des photos à soumettre.

Pharamond marqua un temps, il réfléchissait.

— Vous me rappelez de quelle brigade vous faites partie déjà ?

— Une antenne du 36, éluda Capestan sans vergogne.

— Le 36. Le fameux 36. Si ce n'étaient des chiffres, on prononcerait les majuscules, n'est-ce pas ? Le Trente-Six !

Capestan sentit venir le couplet sur les Parigots. Légitime. Elle s'était montrée un peu légère dans ses remerciements. Alors même que la BRI et la Crim renâclaient pour tout, elle accueillait l'absolue collaboration de son collègue avec un naturel qui confinait au sentiment de supériorité. Une honte rétrospective s'empara de la commissaire qui rectifia aussitôt le cap.

— Oui, pour jouer les légendes, il y a du monde, admit-elle en souriant. J'imagine qu'on ne vous a pas communiqué les raisons de notre présence ?

— Pas vraiment, non. Il paraît que ça pourrait concerner une autre affaire mais « rien de suffisamment concluant pour nous encombrer avec des faits sûrement sans aucun rapport ». On ne souhaite pas nous distraire de nos petites occupations, voyez.

— Je vois, oui.

Capestan avait le choix entre poursuivre dans cette voie tout en s'en excusant platement ou déroger à la ligne du parti et offrir au commissaire le retour de confiance qu'il leur témoignait. La deuxième option lui parut à la fois la plus sympathique et la plus intelligente : si elle donnait les noms des autres victimes, les Lyonnais auraient beaucoup plus vite fait de croiser leurs affaires si d'aventure, comme Capestan le pensait, l'hécatombe prenait source dans une vieille histoire du coin.

Pharamond, stoïque, la laissait réfléchir et semblait miser sur une fin de non-recevoir. Il ne forçait pas la main, ne négociait pas. Capestan ouvrit son sac et en sortit une enveloppe dans laquelle elle avait rassemblé les fiches des affaires Rufus et Maire, assorties des portraits qu'ils souhaitaient diffuser dans le quartier. Elle la tendit au commissaire, qui la saisit en haussant un sourcil agréablement surpris.

— Très officieusement et en toute discrétion si possible, voici le résumé de deux affaires qui correspondent à l'esprit de votre annonce nécrologique du *Progrès*. Le commissaire en retraite Serge Rufus, à Paris, et un fabricant de meubles qui se faisait appeler Jacques Maire, mais se nommait en réalité Jacques Melonne, à L'Isle-sur-la-Sorgue.

— Leurs crimes étaient annoncés dans le journal eux aussi ?

— Non. Plaque de rue et monument aux morts. Le tueur est sadique, il aime faire peur et prépare soigneusement ses meurtres en amont. Mais ce n'est pas un maniaque, il ne suit pas une ligne sans en déroger, il s'amuse plus qu'autre chose. On penche plutôt pour une vengeance trop longuement mûrie. Il a battu Rufus, durement, mais pas tellement Melonne et pas du tout celui-ci a priori.

— Ils ont parlé plus vite qu'un flic.

— Oui, nous aussi, c'est ce qu'on a pensé en tout esprit de corps, concéda Capestan. Mais notre orgueil nous aveugle peut-être…

— Peut-être. Merci, commissaire, pour ces informations. On perdra moins de temps, je pense. J'imagine que si je croise ces noms dans un dossier, vous ne refuserez pas de le lire ?

— Je n'osais pas demander, mais si vous le proposez gentiment…

Le commissaire hocha la tête. Il lui tendit de nouveau une main que Capestan serra. Puis les techniciens se réapproprièrent la scène et cette curieuse victime. Torrez quitta sa ruelle et les deux policiers ressortirent de la place par le côté qui débouchait sur les quais de Saône.

Quai de Bondy. Une nouvelle bourrasque de nostalgie cloua Capestan sur le trottoir. Les immeubles aux façades colorées s'étiraient le long de la rive. Toute la gamme des ocres florentines était venue éclairer l'architecture lyonnaise. Sur la gauche, la colline de la Croix-Rousse grimpait, sa base enlacée par la puissante rivière. À droite, sur la rive opposée, la colline de Fourvière prenait pied dans le quartier Renaissance et s'élançait jusqu'à sa basilique si près du ciel, point culminant de la ville.

Sur ce quai charmant et cabossé, Capestan avait passé ses plus belles années de jeune adulte. Alors en formation à l'École nationale supérieure de la police de Saint-Cyr-au-Mont-d'Or, elle habitait un vieil immeuble typique du quartier : des murs épais, des portes de travers, pas d'ascenseur, des volées de marches creusées par dix siècles d'occupants, de gros stores à larges lamelles de bois qu'il fallait choisir, une fois pour toutes, de baisser ou remonter et une vue sur la Saône à ne pas quitter sa fenêtre.

Anne Capestan pouvait rester plantée des heures devant, jour et nuit, sans se remettre jamais de la beauté d'une telle cité. Le 8 décembre notamment, quand les rebords des fenêtres de la ville se piquaient de milliers de lumignons à la flamme dansante. Les familles sortaient alors pour visiter leur propre ville. Les enfants surexcités par cette exception nocturne couraient toujours deux ou trois mètres devant, à la limite de l'autorisation, coupant les files de clients qui patientaient devant les camions de merguez fumantes. Et partout aux façades, cette lumière d'un autre siècle. Déjà bien avant de s'étendre et de devenir un événement touristique d'envergure, les illuminations étaient le signal éclatant de l'entrée dans l'hiver.

C'est lors de l'une de ces innombrables nuits qu'elle passait le nez collé au carreau, qu'elle avait eu une révélation. Sur le trottoir, en contrebas, elle avait vu Paul repartir avec son seau de peinture, abattu, et elle avait su qu'il n'y aurait que lui, toute sa vie.

18

Lyon, mars 1992

Assis dans un canapé Ikea mou et déformé, Paul contemplait le goulot de sa bouteille de bière en se demandant ce qui avait pu le pousser à se comporter de cette façon. Dans le fauteuil metteur en scène qui lui faisait face, son partenaire des Blaireaux, Denis, lui confirmait que oui, en l'occurrence, il s'était bien conduit comme un blaireau, un authentique, et que même s'il se morfondait depuis trois jours, il n'avait pas vraiment volé ce qui lui arrivait.

Paul était un frimeur, un pur, un dur, un vrai, un con. Même s'il ne se prenait pas au sérieux, il adorait cette adrénaline, cette sensation de gloire et de puissance qui s'emparait de tous les muscles, qui déliait les membres et vous transformait en propriétaire partout, sur tout. Il avait toujours été le cador de la bande, l'alpha sympa, la tête de proue d'un monde à ses pieds. Bien que local encore, leur succès sur planches brûlait déjà et les sirènes parisiennes qui chantaient dans leur sillage avaient fait flamber Paul comme de l'étoupe. Factory's, Marquise, il était un de ces clubbers rois qui entraient en terrain conquis, ventilaient leur mégalo et distribuaient hochements de tête, sourires et signes de la main, comme autant d'aumônes à la foule éblouie. Il était beau, souriant, il faisait bon dans la chaleur de sa condescendance.

Il n'avait jamais joué les Don Juan, ni enchaîné les conquêtes. Son cœur d'artichaut le prédisposait plutôt aux amours passionnées et exclusives, bien qu'éphémères. Mais il ne pouvait pas s'empêcher de la ramener.

Il était fou amoureux pourtant et n'avait d'yeux que pour cette fille-là. Sa présence éclipsait tout humain alentour, le transformant en simple intrus. Mais Paul avait ce besoin, galvanisé par le succès, de pousser toujours plus loin son ego, de gonfler le poitrail jusqu'à la dernière plume et de la jouer façon « tu te rends compte de ta chance ? De toutes celles qui rêveraient d'être à ta place ? C'est à toi que je fais cet honneur, savoure ».

Il avait peur qu'elle ne s'en rende pas compte toute seule. Quel imbécile. De son côté, elle semblait estimer qu'elle le méritait tout à fait et qu'il ne perdait rien au change. Dieu qu'elle l'impressionnait. Mais elle avait été blessée par cette suffisance. Elle avait eu un petit sourire et secoué légèrement la tête, puis elle était rentrée dormir chez elle, le livrant à sa boîte et à sa frime.

Et lui il avait continué, bourrin. Il avait pas mal picolé, il avait 23 ans, bras levés, sourire de vainqueur, bordé de potes, il avait triomphé : « Je me tape une future commissaire, les gars ! Commissaire ! Et pas la plus moche ! Vrai ? C'est une putain de bombe ! » Il était content, fiérot. Ça lui avait assuré un gros succès,

136

ce soir-là. Surtout auprès des hommes, fallait reconnaître. Il avait claqué des mains, trinqué des verres, et dès le lendemain il ne se tapait plus personne. Ses éclats de voix étaient parvenus jusqu'aux oreilles d'Anne. Cette fille avait l'orgueil dégoupillé en permanence, fallait pas trop lui asticoter la dignité.

Trois jours qu'il appelait, s'excusait, il avait servi tous les tons, toute la gamme de l'acteur, dans la plus profonde sincérité. Elle répondait « Oui, oui, je comprends », puis elle raccrochait. Il n'avait plus de solution. À part contempler le goulot de sa bouteille en désespérant, l'estomac noué par le manque, devant un copain qui perdait patience. Il s'était tué sa plus belle histoire, tout seul, comme un grand. Il avait visé son pied et vidé le chargeur. Il s'était gâché l'existence, la vraie, la longue, celle qui dure toute la vie.

— Bon, Bébert, tu ne vas pas rester comme ça.

Ses deux partenaires des Blaireaux l'appelaient Bébert. Pour Robert Redford. Une façon de relever la ressemblance mais de calmer la vanité. Peu efficace a priori.

— Hein ? Tu ne vas pas rester comme ça ? Tu abandonnes ou tu tentes l'impossible, mais tu peux pas arrêter de manger, de sortir et faire tiédir tes bières pendant des heures. Qu'est-ce que tu as envie de faire ? Je veux dire : vraiment.

Paul quitta le goulot des yeux et se mit à réfléchir, à s'écouter. Qu'est-ce que son instinct lui dictait ? Y avait-il encore une chance quelque part ? Jusqu'où était-il prêt à aller pour rattraper Anne ? Rien d'intelligent ne lui venait, rien de spectaculaire ou d'inventif. Il avait juste envie de prendre le gros pot de peinture qui traînait dans son couloir et de barbouiller « Je t'aime » en lettres géantes en bas de chez elle. Voilà ce qu'il voulait. Il avait un cœur d'ado et des envies d'ado.

— Dans une autre vie, j'irais peindre sous ses fenêtres. Mais j'ai passé l'âge.

Son copain Denis s'extirpa de son fauteuil metteur en scène, bougea ses jambes pour faire descendre son jean sur ses bottes motard, écrasa sa cigarette dans le cendrier plein de la table basse et déclara :

— Eh ben voilà, c'est ce que tu vas faire alors, viens.

Et sans même se retourner vers Paul, il enfila son bomber Schott, vérifia qu'il avait ses clés de voiture et saisit l'anse en acier du pot de peinture. Paul bondit sur ses pieds et attrapa le pinceau. En route.

La Volkswagen arrivait sur le quai de Bondy, en bas de l'immeuble d'Anne.

— Gare-toi en double file, proposa Paul, je n'en ai pas pour longtemps.

La raison un peu engourdie par la Carlsberg éventée et le palpitant à cent mille tours par minute, il descendit de la voiture, le pot de trois kilos d'acrylique blanche pesant au bout de son bras. C'était désespéré, ridicule, mais c'était sa dernière idée.

— Tu surveilles, Denis, hein ? Si je me fais repérer par les flics, mon père va m'en coller une.

Denis acquiesça, sortit de la voiture et se tint debout à côté, parcourant les alentours d'un œil vigilant. À 4 heures du matin, même ce coin était calme. Paul se battit quelques minutes avec ses clés pour ouvrir le pot. Il n'avait pas pensé au tournevis. Le couvercle céda enfin. Le pinceau plongea dans le seau et ressortit ourlé d'un blanc éclatant.

Paul jeta un coup d'œil à l'immeuble. L'appartement était au troisième, tout était éteint. Évidemment, au milieu de la nuit, Anne dormait. Il tourna le dos à cette fenêtre noire. Il se sentait stupide. Mais pressé, fébrile. Ça la toucherait peut-être. Il s'en voulait tellement, il voulait réparer une puérilité par une autre, principe d'antidote. Il avait mal et toutes ses tripes le poussaient à agir.

Il commença à écrire en hautes lettres sur le trottoir. L'asphalte était sale, poussiéreux, l'acrylique n'adhérait pas et le pinceau revenait couvert de saletés qui maculaient la peinture dans le pot.

La sueur aveuglait Paul, qui s'essuya le front de sa manche. Il avait chaud. Ça ne voulait pas. Alors il essaya encore, il mettait tellement de peinture sur le pinceau que c'était presque comme s'il la versait. Et de fait, les lettres commençaient à surgir. Il avait écrit le prénom, puis il était parvenu jusqu'au M, quand les premières gouttes de pluie se mirent à tomber. Et à délayer la peinture.

Acrylique. Soluble dans l'eau.

Elle n'allait pas tenir. L'averse se déclencha soudain, aquarellant le message, Paul tentait de réparer, corriger, combler les flous, rattraper les lettres, mais impitoyablement la pluie frappait le trottoir, rebondissait et mélangeait le blanc aux rigoles d'eaux sales. Paul essaya, essaya encore, bêtement, avec entêtement, mais il savait qu'il était battu. Devant lui s'étalait une vaste flaque de blanc dilué, qui s'échappait en coulant vers le caniveau dans lequel elle filait, vive comme un ruisseau. Les égouts ignoraient tout l'espoir qu'ils emportaient. À genoux sur le trottoir, le pinceau serré au creux du poing, Paul entendit son ami qui l'appelait. Une voiture arrivait, il était temps de hisser les voiles. Il se releva, prit le seau et regagna la Volkswagen, les épaules basses, la chevelure trempée. Sans foudre, ni déluge, Paul repartait vaincu par une minable giboulée.

Il s'était écroulé sur le siège passager, en silence. Son ami n'avait pas parlé non plus, il avait glissé la clé sous le volant et démarré le moteur, il passait la première quand une voiture stoppa à leur hauteur, sur leur droite. La vitre du conducteur descendit et Paul reconnut son père. Il baissa sa vitre lui aussi, il n'avait pas tellement envie de rigoler, ce soir. Son père n'en avait jamais envie, ils se comprendraient peut-être, pour une fois.

— Tout va bien ? fit Rufus d'un ton soupçonneux. Qu'est-ce que vous faites ici à cette heure ? Vous sortez encore de boîte ?

Plus de mépris n'aurait pu s'exprimer sur la lippe de quiconque. Rufus secoua la tête, de dépit semblait-il, et quand il se recula dans son siège pour redémarrer, le visage fermé, Paul distingua un homme sur le siège passager, qui avalait un caramel d'un air inquiet.

19

Dans cette ville, sur cette enquête, l'image de Paul ne quittait plus Capestan. Elle avait eu tellement de mal à l'arracher de ses rétines pendant des mois que ce retour Technicolor épuisait sa résistance. Elle ne parvenait pas à se dépêtrer de l'ample sourire, du regard fauve, de tout cet or, et les efforts qu'elle produisait pour rabattre le voile puisaient dans sa capacité à réfléchir promptement.

Plus que sur toute autre enquête, elle comptait sur son équipe pour déduire à sa place, alors que plus que sur toute autre enquête, l'équipe comptait sur elle pour fournir un éclairage original. Le cœur et l'esprit entre deux parpaings, Capestan perdait ses réflexes les plus élémentaires. Elle était trop préoccupée pour garder ses protections suffisamment étanches. Le flot des affaires traumatisantes de la brigade des mineurs, qui avaient causé sa perte puis celle de son couple, profitait de cette levée de barrière pour remonter la hanter.

Jeune femme, son âme joyeuse et insouciante l'avait portée vers un homme beau et drôle. En sa compagnie, elle barbotait à la surface d'une mer brillant sous un éclatant soleil d'août, mais sa charge au quai de Gesvres était montée des profondeurs ténébreuses pour lui agripper les chevilles et tirer, tirer. Elle avait bu son lot de tasses et souvent elle avait fait de grands moulinets avec les bras. En silence.

Il l'avait quittée, elle avait quitté les Mineurs. Depuis elle suivait une ligne droite, sur la digue, sa brigade. Elle fuyait les mauvaises fins et les sales nouvelles. La santé mentale était trop difficile à maintenir pour tenter la tangente. Mais le retour de Paul brassait des eaux contraires, elles la recracheraient enfin sur la terre ferme ou enseveliraient la digue. Capestan ne savait pas encore.

Le reste des troupes avait pu les rejoindre dans l'après-midi. Lebreton, Rosière, Lewitz, Dax, Merlot, Évrard, Orsini et Saint-Lô attendaient rassemblés en grappe en bas de l'immeuble de Velowski. Le froid sec et saisissant les avait surpris. À l'exception de Lebreton et Orsini, ils tapaient des pieds sur le trottoir pour se réchauffer. Rosière s'était installé Pilou en cache-col. Les policiers parlaient et un halo de vapeur se mêlait à la fumée des cigarettes pour envelopper cette brigade descendue en délégation.

Capestan s'agrégea au groupe. Torrez demeura quelques mètres en retrait. Après les retrouvailles et le résumé des événements du matin, on répartit les missions. Merlot, Évrard, Dax et Saint-Lô quadrilleraient les environs en présentant le portrait-robot et les photos de Rufus et Melonne. Saint-Lô était enchanté à la perspective d'arpenter ce quartier Renaissance qu'il avait connu à l'époque où « il se situait à un mois de cheval de la capitale ». Les autres membres du groupe se chargeraient des voisins de l'immeuble après avoir étudié l'appartement. On se sépara.

Une fois sur le palier, Capestan souleva le ruban jaune pour inviter les policiers à entrer.

— On ne touche à rien ! On observe, on note, on repart, et on le rend dans le même état à nos collègues lyonnais.

Ils firent religieusement le tour du vaste appartement. Vieux parquets en chêne cirés, murs blancs peints à la chaux, plafonds à la française, on était dans le Vieux-Lyon, mais la rénovation était de qualité. Les meubles élégants semblaient tout droit sortis des meilleurs antiquaires. Aucun livre ni magazine nulle part, juste une pile de quotidiens. Capestan s'approcha d'une rangée de cadres accrochés au mur. Une photo de mariage en noir et blanc qui devait dater des années 1930, sans doute les parents de la victime. Un groupe d'étudiants sur un banc en pierre devant les bâtiments de l'université Lyon-III. Encore quelques photos d'amis et celle d'une femme. Toutes dataient des années 80-90 et Alexis ne posait sur aucune. Capestan se tourna et parcourut rapidement la pièce du regard. Aucun miroir. Velowski ne supportait pas sa propre vue. Et il ne fréquentait plus personne depuis vingt ans. Le même schisme que Melonne.

Dans le grand salon, un profond canapé d'angle en velours beige faisait face à un écran plat à la limite du cinéma. La victime avait de l'argent, beaucoup, mais ne l'avait pas dépensé dans une villa tape-à-l'œil. Au contraire, calcula Capestan, ici toutes les dépenses avaient pu s'effectuer discrètement, par sommes raisonnables ou réglables en liquide. Même l'appartement tenait sa surface importante de la fusion avec celui d'à côté. La commissaire repensa au dispendieux Jacques Maire et ses sources opaques. Cette question de l'argent était une clé.

Seul Rufus ne semblait pas avoir l'ombre d'une fortune, dissimulée ou non, et seul Rufus s'était fait tabasser. Peut-être n'avait-on pas cherché à le faire parler, mais juste à le punir, et sa place dans l'histoire était-elle différente de celle des deux autres victimes. Quelle histoire ?

Un flic rugueux, un généreux paternaliste, un torturé raffiné.

Où ces gens si dissemblables s'étaient-ils connus ?
Qui les éliminait ?

Combien étaient-ils ? Y aurait-il d'autres victimes encore, ou celui-ci était-il le dernier de la liste ?

On n'était pas dans une logique de tueur en série. Il y avait un *numerus clausus*, la commissaire en était certaine. Mais aussi bien ce nombre était 7 000 et le tueur voulait se venger des Pages Jaunes.

— Oh la vache ! siffla Rosière.

Elle venait d'ouvrir la double porte de placard du salon où, sur une étagère entière, s'empilaient des boîtes de Quality Street.

— Tant qu'à se droguer, le mec, il aurait dû se mettre direct à l'héroïne, ça lui aurait économisé de l'espace. Regardez-moi ça !

Rosière s'empara d'une boîte au hasard et la secoua. Un bruit faible résonna contre la paroi en fer-blanc. Rosière ouvrit le couvercle et s'esclaffa :

— Ah ben il n'aimait pas les rouges, pépère ! Remarque, il voulait pas jeter non plus. Il a rempli cette boîte avec le rebut des autres, à mon avis.

Elle en ouvrit encore une ou deux parmi celles qui n'avaient plus le scotch de fermeture.

— Gagné. Dites donc, l'air de rien, pour en bouffer à ce rythme, faut des quenottes mais faut du budget aussi. C'est du gâchis de boulotter à la chaîne comme ça.

— Pour la question du budget, l'homme ne manquait pas de ressources a priori, fit Orsini sur un ton d'amertume non dissimulée. Mais en matière de goût, l'insuffisance est patente. Avec Voisin et Bernachon, il pouvait trouver d'autres chocolateries en ville que ces cochonneries industrielles. Ou l'homme souffrait de résurgences enfantines, il s'offrait l'abondance des caramels qu'on lui avait refusée. L'esprit de revanche, en médiocre.

— C'est très bien, Quality Street ! se révolta Rosière. C'est ce que mon fils m'offre tous les ans pour la fête des Mères.

Orsini haussa les épaules, indifférent. Il ouvrait les tiroirs, fouillait le secrétaire, à la recherche de documents, d'indices et ne se préoccupait déjà plus de sa collègue partie en roue libre. Il s'arrêta et tourna lentement sur lui-même pour survoler la pièce du regard. Tout était lisse, propre, vide, sans aspérité, rien ne laissait entrevoir l'âme du propriétaire et les flics se cassaient les dents. Les papiers administratifs eux-mêmes semblaient avoir été aspirés, la victime devait utiliser un coffre-fort digital. D'après Capestan, l'équipe lyonnaise avait ramassé les déclarations d'impôts et quelques anciennes fiches de paie, mais peu de matériel en fait. Pas de comptes. Ils avaient aussi embarqué l'ordinateur et la tablette, qu'ils analysaient. L'imprimante les attendait là toute seule, avec ses fils qui pendouillaient le long du bureau. Le visage d'Orsini se ferma plus encore. Aucune des victimes ne laissait de prise. On ne saurait rien. On n'apprendrait rien.

Restait le coupable, lui s'expliquerait. Si on le trouvait.

— Il t'offre des Quality Street pour la fête des Mères, ton fils ? demanda Lewitz.

— Oui, avec des fleurs. Et il oublie jamais, fit-elle avec défi, c'est quand même mieux qu'un parfum tous les dix ans. Et je peux te dire que quand il me les apporte, j'ai plus vite fait de déballer les caramels que de couper les tiges.

Lebreton, une main dans la poche de son jean, l'autre se massant la nuque, se tenait devant l'étagère, attentif aux souvenirs qui remontaient les coursives.

L'Isle-sur-la-Sorgue, l'enterrement. L'homme dans l'église qui surveillait l'assemblée et avait disparu après que Lebreton avait croisé son regard.

Le commandant se dirigea vers Capestan, qui examinait un cadre sur une console tout en attachant ses cheveux :

— Tu as une photo de la victime ?

— Oui, les clichés du cadavre et la copie de ses papiers d'identité, dit-elle en les sortant de son grand sac.

Lebreton les passa brièvement en revue avant de les rendre.

— La victime connaissait Melonne, elle est venue à ses funérailles.

Gagné, pensa Capestan. Les liens se resserraient donc, sans que l'on sache encore de quel chanvre ils étaient tissés.

— Il connaissait la famille, des amis ?

— Non, il observait, je pense, comme nous. Il ne s'est mêlé à aucun groupe.

— D'accord, enregistra la commissaire. Je n'ai pas l'impression qu'on trouvera grand-chose dans cet appartement, mais si quoi que ce soit évoque la Provence… Je vais voir la chambre et la salle de bain.

Lebreton acquiesça et gagna la cuisine.

Capestan ouvrit l'armoire au-dessus du lavabo, seul miroir de l'appartement. Elle ne contenait ni trousse de toilette, ni rasoir, ni brosse à cheveux. Sur la tablette qui supportait la vasque, il y avait un verre avec un tube de dentifrice et une brosse à dents. Capestan se remémorait le cadavre, l'homme se rasait et se coiffait. Il avait donc fait un sac, dans lequel il avait oublié sa brosse à dents, mais il avait pris un sac. C'était forcé.

Les tiroirs de la commode, comme les étagères de l'armoire, semblaient complets, avec leurs piles de caleçons, chemises, tee-shirts et pulls bien alignés. Il avait emporté un sac, mais très léger. Et on ne l'avait pas retrouvé.

Le plateau du petit déjeuner et *Le Progrès* traînaient encore sur le lit défait. Dans cet intérieur tiré au cordeau, cette précipitation hurlait toute la peur qui l'animait.

Les bras croisés sur sa canadienne encore boutonnée, debout au milieu du couloir, Torrez contemplait un tableau avec l'air de lui reprocher quelque chose.

Une œuvre abstraite. Capestan fit part de ses réflexions au lieutenant. Celui-ci hocha la tête à l'intention de la commissaire puis secoua le menton à l'intention du tableau, avant de se diriger vers l'entrée.

— Faut regarder l'entrée, comme il a claqué la porte, il y a peut-être laissé son sac et il s'est retrouvé coincé. Sinon, c'est le tueur qui l'a embarqué.

— Oui, c'est même le plus probable, je ne vois pas pourquoi je me creuse. Mais avoue, c'est incroyable qu'on ne trouve rien de personnel dans cet appartement ! Cinq photos, des caramels et des télécommandes, tu parles d'une vie !

— On a fouillé les boîtes pour voir ?

— Oui, Rosière y a pensé. Lewitz a exécuté. Rien.

Torrez fixa sa montre et, en un geste familier, il écrasa la première phalange de son index dessus.

— Dix-huit heures. Il fait faim, dit-il en ouvrant la porte. À demain.

Bien. Ce serait toujours moins difficile de réserver le restaurant pour neuf que pour dix. S'ils acceptaient les chiens. Et les rats.

Serrés les uns contre les autres, les membres de la brigade occupaient une longue table près d'une fenêtre partiellement occultée par un petit rideau rouge et blanc à carreaux. Ils avaient par miracle bénéficié de l'annulation d'un groupe de commerciaux et obtenu une réservation dans un des bouchons les plus réputés de Lyon. Les plus réputés, ça voulait dire que la patronne s'adressait à vous comme s'il fallait la remercier et pas trop l'enquiquiner. Le lieu était minuscule, chaleureux, plein d'étagères de guingois qui retenaient tant bien que mal des batteries de cuisine en cuivre, des trophées de boules lyonnaises et des petits cadres aux citations hautement philosophiques à base de crédit, de patron et de bienfaits du vin. La salle de restaurant donnait directement sur la cuisine et on pouvait apprécier l'office en direct, le tintement des casseroles qu'on bouscule sans ménagement sur les feux agrémentant encore l'ambiance très sonore.

Capestan avait joué sa fille du cru et prévenu qu'ici le repas c'était du vrai, du lyonnais, fallait des épaules et de la réserve. Si certains ne se sentaient pas au niveau, mieux valait repartir tout de suite. Merlot avait henni de certitude et commandé trois pots de côtes-du-rhône d'entrée de jeu. Puis il avait commenté la carte.

— Ah ! les volailles de Bresse, les amis ! En voilà du vrai poulet dodu comme chez nous, dit-il en envoyant une œillade à Rosière dont la prunelle verte sembla peu apprécier le compliment.

— Et là qu'est-ce que c'est ? fit-il en désignant une ligne à Évrard à ses côtés.

— Magret de canard.

— Ah ! Je lisais magret de connard !

Après un temps, Merlot pouffa et se pencha vers son amie.

— Je me disais, ça doit être lourd.

Le capitaine se sentait ici en terre amie, le genre d'endroit qui le laissait pleinement développer son potentiel. Il allait pouvoir jouer des coudes dans les assiettes des autres, tacher sa chemise en toute impunité, il était bien, comme souvent.

Lui seul avait fini par obtenir un semblant de réponse sur le portrait-robot. Rue Saint-Paul, le boulanger avait vendu trois croissants à un homme ressemblant mais aux cheveux plus courts. Au lieu de s'ajouter des postiches au fur et à mesure de ses crimes, l'homme les enlevait. Il avait tout laissé pousser avant, avec un authentique sens de l'anticipation.

La patronne, dans son tablier de la veille, se matérialisa en bout de table. La soixantaine impatiente, les cheveux courts et platine, elle tenait son petit crayon déjà appuyé sur son carnet et donna un coup de menton pour inviter les convives à envoyer la commande fissa. Puis, apercevant Merlot qui la toisait avec le sourcil arqué du colonel mécontent de la Madelon, elle se rendit compte qu'elle avait oublié le troisième pot. « Désolée », concéda-t-elle en reculant d'un pas pour en attraper un sur le bar.

Puis les saladiers d'entrées se succédèrent sur la table et les policiers se firent passer lentilles vinaigrette, pieds de porc, rosette et cornichons. Quand les plats arrivèrent ensuite – quenelles, saucissons briochés, andouillettes –, plus personne n'avait faim mais tout le monde se força et Merlot commanda deux nouveaux pots.

Un seul réverbère éclairait cette étroite rue de la presqu'île et la nuit était noire de l'autre côté de la vitre embuée. Dehors, Lebreton et Rosière grillaient une cigarette en attendant le défilé des crèmes caramel et poires au vin. Capestan contemplait le reste de sa brigade qui faisait grincer les chaises sous le poids des corps repus de charcutaille. Les plus gaillards parlaient fort encore tandis qu'Évrard et Lewitz, l'œil vague des digestions en cours, profitaient simplement de la gaieté de l'instant. Le téléphone de Capestan afficha un texto. C'était Torrez : « J'ai trouvé le sac. »

Capestan rejoignit Torrez devant l'immeuble où il patientait sous le halo brumeux d'un lampadaire. Il composa le code en expliquant la source de son illumination :

— Mon fils, quand il fumait en cachette, pour être sûr qu'on ne tombe pas sur ses cigarettes, ni nous ni ses frères et sœurs, il les planquait dans le placard du compteur EDF de l'immeuble. Oui, oui, oui, comme un vulgaire dealer. Alors, je me suis dit, imagine le gars, il a vu son nom dans la nécro du journal, il veut s'enfuir en emportant un truc important, mais si ça se trouve le meurtrier l'attend dehors. Il met le sac de côté, avant d'aller jeter un œil à l'extérieur. Puis il repasse le chercher. Sauf si on le tue. Donc, je suis venu vérifier ici, dit-il en déclenchant la minuterie et en grimpant la première volée de marches. Capestan le suivit.

Il ouvrit le placard et désigna le sac en toile noire au fond :

— Tadaaa…

Capestan baissa la tête pour récupérer le sac sous le compteur. En effet, il contenait peu de vêtements, une maigre trousse de toilette et un énorme manuscrit. Velowski n'avait pas pris l'ordinateur, juste le manuscrit.

— Là, tu as trouvé quelque chose, José, fit la commissaire en soupesant l'épaisse découverte. Et je me demande bien ce que ça va nous raconter.

Capestan s'éveilla en sursaut d'un cauchemar envahi d'enfants aux yeux cernés. Elle se redressa et inspira lentement pour calmer un cœur qui cognait à s'échapper. Dans sa tête, elle chanta fort le premier Joe Dassin qui lui venait pour chasser les images. Puis son regard suivit les murs blancs, les rideaux beiges, la décoration impersonnelle. Capestan se laissa gagner par l'étrange solitude des chambres d'hôtel et c'est à ses propres enfants qu'elle pensa alors, ceux qu'elle n'avait pas.

Jeune fille, comme toutes ses congénères, elle avait plaisanté sur les gamins des autres, bruyants, insupportables en vacances… Puis peu à peu son répertoire avait évolué jusqu'à se tarir. Aujourd'hui la sourde inquiétude avait cédé la place à l'angoisse. Capestan n'entendait pas d'horloge, mais chaque année, la gifle en papier de l'éphéméride lui rappelait que sa chance était peut-être déjà passée.

Une fois douchée, habillée, la commissaire s'assit au bord du lit et alluma la télé. Elle zappa jusqu'à tomber sur *Friends*, une saison qu'elle connaissait par cœur mais qui à coup sûr remplirait son office. Elle regarda, activement, sans penser à rien d'autre, jusqu'à ce que les brumes grises s'échappent et laissent des neurones propres. Au troisième épisode, elle était prête à descendre pour rejoindre Torrez dans la salle du buffet de l'hôtel.

Le lieutenant, déjà attablé, travaillait à réduire l'assiette de croissants et charcuterie qui lui faisait face. Il procédait posément, avec méthode. La bouche pleine toutefois, il dut soulever son couteau à beurre pour saluer l'arrivée de sa collègue, qui lui demanda :

— Bien dormi ?

Le lieutenant tenta d'avaler sa bouchée pour répondre, mais le programme lui parut trop ambitieux pour être accompli dans les temps et il se contenta d'un « Hum hum » d'acquiescement, suivi d'un « Hum ? » de question retour.

— Très bien aussi, oui merci. Je vais me chercher un café et de quoi démarrer la journée. Je te rapporte quelque chose ?

Capestan déposa son assiette de pain, beurre, confiture et fruits coupés, ainsi que sa tasse de café avant de s'installer et de déplier sa serviette.

— Chez moi, je ne mange jamais le matin, mais dès que je vois un buffet d'hôtel, faut que je saute dessus.

— Moi pareil. Tu sais que je suis content d'être venu, déclara Torrez. Les gamins ont joué avec un virus de gastro toute la nuit, à tour de rôle, je ne sais même pas comment ma femme a réussi à décrocher le téléphone ce matin quand j'ai appelé.

On sentait la compassion, certes, mais on sentait encore plus nettement la joie d'avoir échappé au cirque. Torrez voulut modérer l'impression.

— Non, mais je plaisante parce que c'est déjà fini, hein. La gastro, ça peut coller une trouille terrible. Quand mon aîné s'est retrouvé à l'hôpital la première fois, je peux te dire que je ne rigolais pas. Ça a duré quatre jours, mais ça a changé ma vie, dit-il en mâchant, songeur. D'un coup, la terre bouge, tu t'aperçois que tu vis sur un sol meuble. Toute ton existence, tout ce que tu as mis des années à construire, n'est plus soumis qu'à la santé d'un seul être. C'est vertigineux. Après, tu trembles tout le temps. En fait, tant que tu n'as pas eu d'enfant, tu ne connais pas la peur.

— La peur de ne pas en avoir, répondit Capestan à son assiette.

Torrez resta sans réaction une fraction de seconde, puis baissa les yeux.

— Oui, oui, sûrement.

Il découpa son jambon et reposa ses couverts.

— Non. En fait, non. Dans ce cas, le désespoir peut être réel, mais la peur, elle est abstraite. La vraie terreur, c'est celle de perdre.

Capestan contempla le regard doux du lieutenant au milieu de tout le crin de ses barbe et cheveux. Pour une fois qu'elle lâchait une once de faiblesse, elle se faisait recadrer. Avait-elle cédé à l'auto-apitoiement ? Possible. Elle aurait bien botté en touche et rétorqué qu'il n'y avait pas moyen de se plaindre tranquillement en ce bas monde, mais elle voyait Torrez qui se tortillait, déjà embarrassé par son manque de tact. Il ne savait pas trop comment continuer. Il tourna sa fourchette et son couteau entre ses grosses pattes et, juste avant de réattaquer sa tranche, il lâcha :

— Tu sais, mes enfants, ils sont pas de moi. Je peux pas, c'est des bébés pipette. N'empêche que ce sont les miens.

— Oui, je n'en doute pas un instant, répondit Capestan en souriant gentiment.

La salle aux rideaux fleuris résonnait de conversations, de salutations matinales, du bruit des couverts et des assiettes. À chaque fois que la serveuse ouvrait la porte pour ravitailler le buffet en jus de fruits pressés, yaourts ou thermos d'eau bouillante, le zonzon des lave-verres et percolateurs s'échappait de la cuisine. Les odeurs de café et pain grillé dominaient nettement. Torrez aligna les miettes qui traînaient sur la nappe. Comme souvent, malgré son aura de maudit et son physique de taiseux, il se montrait d'humeur éloquente au contact de son binôme.

— Toi, j'en suis sûr. Mais y a quand même un truc, tu vois… C'est comme le type à L'Isle-sur-la-Sorgue… on pourra faire toutes les révolutions du monde, au final, rien ne change : tu es d'un patelin quand tu y es né et tu n'es père que si t'as apporté la petite graine. Même si t'es parti avant les trois mois du petit. Le sol et le sang. Ce sont les seules transmissions admises sans contrepartie. Le reste, les gens le considèrent comme concession provisoire et tu dois aligner des preuves qu'on n'exige de personne d'autre.

Torrez avait peut-être raison, pas sûr, mais Capestan lui sourit encore en lui tendant un croissant qu'il prit avec une satisfaction appuyée.

Pour sa part, la commissaire ne croyait qu'au mérite.

Une heure plus tard, postée sous l'horloge de la gare de la Part-Dieu où l'équipe allait reprendre le train pour Paris, Capestan attendait le commissaire Pharamond. Elle le vit apparaître pressant le pas de l'autre côté de l'esplanade. Un peu essoufflé, il s'arrêta devant elle et lui tendit une épaisse chemise cartonnée jaune.

— Tenez, je vous ai fait une copie d'une affaire intéressante. Vous retrouverez deux des victimes au moins, le commissaire Rufus et Velowski. À mon avis, la troisième doit y être aussi, mais rien de certain.

Capestan contempla la chemise. Elle ne pouvait pas détacher les élastiques tout de suite, devant le commissaire, mais elle en mourait d'envie. Ainsi deux, peut-être trois hommes dormaient dans ce même dossier. Lyon, 1992. On tenait enfin le lien.

— Merci commissaire. Tenez, échange de bons procédés. On a trouvé un sac, que voici. Il contient un manuscrit dont j'ai conservé une copie, vous me pardonnerez.

Pharamond fixait le sac, les yeux écarquillés.

— Qu'est-ce que c'est que ça ? Vous l'avez trouvé où ?

— Dans le placard EDF de l'immeuble de Velowski.

— Mais c'est formidable !

Il ouvrit le zip, saisit l'épais paquet de feuilles qu'il tourna et retourna entre ses mains velues.

— Enfin, ne nous emballons pas, réalisa soudain Pharamond. On ne sait pas trop comment vont évoluer les saisines, il est possible que l'affaire nous échappe…

— Oui, ça va peut-être se jouer sans nous, en effet, et repartir sur la Crim ou la BRI. On verra bien ce qui tombe. En attendant, merci pour votre collaboration, elle aura été précieuse.

— La vôtre aussi, commissaire, ravi d'avoir pu travailler ensemble.

Capestan sourit et tendit la main. Puis elle fila rejoindre ses collègues agglutinés sur le quai et, sans même leur avoir adressé la parole, elle fit claquer l'élastique du haut pour lire au moins le nom de l'affaire.

« Lyon – 4 août 1992 – Braquage de la banque Minerva – Deux morts, trois blessés. »

Oui, du lourd. L'enquête allait leur échapper maintenant.

Au moment où ils obtenaient les réponses.

Torrez remplit la bouilloire, la remit sur le socle et actionna le bouton. Pendant qu'elle chauffait, il posa le beurre à proximité afin qu'il ramollisse, il sortit six bols et les plaça sur la table de la cuisine, où se tenaient déjà un paquet de céréales, une bouteille de lait, la confiture, des couteaux, des petites cuillères et des serviettes enroulées dans leurs ronds aux prénoms de chaque membre de la famille. Il glissa trois tranches de pain de mie dans le grille-pain et ouvrit le sachet de thé de son épouse pour le jeter dans le bol. L'eau était chaude. Il servit tout de suite, son épouse aimait que le thé ait eu le temps de refroidir un peu avant de le boire.

Ensuite il remplit un biberon de 240 centilitres d'eau et compta huit cuillères de lait en poudre. Il secoua et le posa sur la chaise haute. Il extirpa les trois tranches de pain de mie et les remplaça par trois autres. Puis il prit la boîte de croquettes pour lapin et s'approcha de la cage de Casillas. Elle était encore ouverte. Torrez soupira. Ou ce lapin était vraiment malin, ou ses enfants étaient vraiment désobéissants. D'une voix de stentor, il cria à l'intention de tout l'appartement :

— Il est où, Casillas ?

— Au Real ! répondit l'aîné de ses fils en pouffant.

Torrez soupira de nouveau et vit toute sa smala envahir la cuisine, lui coller des bisous sur les joues et brinquebaler les chaises. Il installa la petite dernière dans la chaise haute, lui déboucha le biberon et resta debout à servir tout son monde en lait, tartines, chocolat. Lui ne prenait son café qu'après.

Il s'assurait d'abord qu'une fois leur petit déjeuner englouti, les enfants se brossent convenablement les dents. Pendant ce temps son épouse achevait de se préparer, puis elle l'embrassait et emportait le cheptel dans sa voiture afin de le distribuer dans les écoles et crèches environnantes.

Torrez, lui, rangeait tout, la cuisine, les chambres, la salle de bain, aérait, rassemblait, puis enfin savourait son café dans le silence retrouvé. Immanquablement, il pensait à cette scène du film *Une journée particulière* où Sophia Loren en vilaine blouse et bas plissés ramasse le linge de sa famille partie sans s'en soucier. Sauf que lui, contrairement à Sophia, était parfaitement heureux.

Café avalé, Torrez déplia la table à repasser, rapprocha la corbeille de linge, remplit d'eau le fer et le brancha, puis s'échauffa les poignets. Il posa à main droite le chronomètre de parties d'échecs qu'il avait trouvé dans une boutique spécialisée et attendit que le fer soit à température optimale pour se lancer. Au ding de la clochette, il saisit une chemise. Il devait y arriver.

20

Lovée dans le canapé en cuir blanc de sa belle demeure de la rue de Seine, Rosière contemplait la couverture transparente du manuscrit retrouvé à Lyon. Machinalement, elle grattait les oreilles de Pilou qui, paupières mi-closes, savourait l'instant allongé à ses côtés. Elle observa une seconde de recueillement avant d'attaquer ce qui s'annonçait comme un élément décisif dans l'Enquête Trois Bonhommes.

Rosière, romancière aguerrie, s'était trouvée évidemment toute désignée pour l'étude de ce bel indice de 650 pages. Elle était même l'atout que se réservait en secret Capestan. La commissaire savait qu'ils avaient peu de temps pour étudier l'affaire Velowski, elle allait vite revenir à la Crim et toute l'avance serait perdue. Avec les moyens dont le 36 disposait, quand le dossier du braquage lyonnais tomberait tout cuit dans leurs banques d'analyse, ils largueraient les poulets des Innocents loin derrière, le bec bien enfumé.

Capestan avait donc estimé que si personne ne réclamait ce manuscrit, il n'y avait aucune raison de le donner. Et si personne ne déclarait l'existence de ce manuscrit, alors personne ne le réclamerait. La brigade lyonnaise, destituée, ne fournirait pas toutes les données, sachant que Capestan les avait déjà, ils imaginaient sûrement que les liaisons s'opéraient avec fluidité dans une même juridiction.

Rosière inspira et tourna la page de garde. La reliure thermocollée, en provenance du premier Copy-Top venu, résista un peu. Qu'est-ce qu'Alexis Velowski avait eu besoin d'exprimer dans un pavé pareil ? Retrouverait-on les autres victimes ? Avait-il du talent ?

Rosière en était à la page 102 quand les premières notes du « Printemps » de Vivaldi résonnèrent dans la maison. Sourcils froncés, l'œil plus perçant que jamais, la capitaine s'interrogeait sur le sens de ce qu'elle lisait. Ce n'était pas très clair.

La mélodie fut aussitôt suivie des jappements du chien, qui avait bondi telle une balle sur la porte pour faire savoir qu'à l'intérieur aussi, y avait du monde, et féroce. Cette sonnette Vivaldi commençait à lasser un peu la capitaine, sans compter que désormais, même dans les centres commerciaux, le chien aboyait sur n'importe laquelle des *Quatre Saisons*. Ce devait être Lebreton qui venait la chercher. Rosière se leva avec un « humpf » d'effort.

Le commandant attendait patiemment devant la porte de la maison, les mains dans les poches de son pantalon. Ils avaient le temps de boire un café. Après, direction réunion où, enfin, on allait découvrir ce que ces hommes avaient en commun.

Rosière, enveloppée d'une robe portefeuille fuchsia, sous un long gilet en cachemire blanc et chaussée de mules dorées, ouvrit la porte au chien qui s'éjecta directement sur les genoux de Lebreton.

— Salut Louis-Baptiste, je suis pratiquement prête. Je te fais un café, pendant que je réunis mes affaires ?

— Salut Eva. Parfait pour moi.

Il rentra à sa suite dans le vaste hall, puis le salon, la salle à manger, et enfin ils arrivèrent à la cuisine où Lebreton s'installa sur un tabouret de bar en acier chromé, pendant que Rosière lui présentait un choix infini de capsules sur leur présentoir en bois. Lebreton en piocha une au hasard et, quelques secondes plus tard, Rosière déposait une tasse fumante sur le comptoir en marbre.

— Pose-toi et fais ton Clooney deux minutes. Je vais chercher mon sac et sa laisse. À tout de suite.

Quelque chose dans la maison intriguait Lebreton, mais il ne parvenait pas à mettre le doigt dessus. Il étudia le décor, tout était strictement comme d'habitude. Quoi alors ?

Rosière redescendit et, en compagnie de Pilote qui procédait par boucles, ils sortirent de la maison. C'est une fois dans la rue de Seine, surmontée d'arches lumineuses, où chaque boutique laissait échapper quelques notes de *Jingle Bells*, que Lebreton réalisa ce qui l'avait gêné : Rosière la reine de la déco de Noël aux Innocents n'avait rien accroché dans sa propre maison.

Elle ne recevait pas cette année.

Le commissariat entier vibrait de curiosité. Une ruche avant la projo du dernier *Maya l'abeille*. Lewitz revenait les bras chargés des photocopies en dix exemplaires du dossier. Évrard nettoyait les tableaux en chantonnant, Dax, Lebreton et Saint-Lô agençaient les chaises, Rosière poursuivait la lecture du manuscrit et Merlot se servait un verre. Orsini, assis jambes croisées, mains réunies sur le bloc posé sur ses genoux, fixait déjà les tableaux sans un sourire. Torrez n'apparaîtrait pas avant le début de la réunion, mais il continuait de passer des coups de fil pour retrouver l'acheteur de la peinture dorée du monument aux morts.

Capestan, elle, restait plantée devant la fenêtre zébrée d'étoiles filantes tracées à la bombe à neige et réfléchissait. Ils avaient désormais le contexte et le lien, ça ne faisait aucun doute. Une histoire de bandits, qui mériterait en effet d'être étudiée par la BRI ou la BRB, si un jour quelqu'un leur réclamait le dossier. Capestan n'irait pas le distribuer d'elle-même. Au-delà de la petite course, au-delà de son implication personnelle, elle avait désormais une excellente raison de traîner la patte. Une décision importante serait à prendre et la commissaire voulait se ménager le temps d'une véritable réflexion. Une feuille dans le dossier avait bousculé sa vision de l'enquête. Elle l'avait soustraite à la photocopie, y compris pour son équipe.

Envisager toutes les possibilités. Ne pas briser sans savoir.

Capestan observait la fontaine des Innocents brillante de givre. Les gens dehors n'étaient que tas de laine et de plumes sombres qui passaient de boutique en boutique, la tête rentrée dans le cou, le pas engoncé et précipité. Ils ressortaient avec des cadeaux qu'ils jugeaient indispensables et dont ils oublieraient le contenu avant deux mois. Les logos frappés sur les sacs en papier filaient sous le nez des SDF assis sur les marches. Les arbres de lumière blanche du McDo jouaient la grosse part des féeries de la place. Bientôt, le marché de Noël et ses spécialités homologuées s'installeraient en une myriade de petits chalets au charme éphémère. Où stationnaient-ils le reste de l'année ? Y avait-il un parc des petits chalets de Noël, où des rennes désœuvrés buvaient à la santé d'un Père Noël reparti sur ses glaces ?

Rien à faire. Capestan ne pouvait pas parler de cette feuille à son équipe. Pas maintenant. Même si la disparition du document se verrait rapidement.

Dans son dos, le silence si caractéristique de l'impatience la prévint que la brigade était enfin en place et qu'il était temps de leur raconter ce braquage. Évrard avait même éteint la musique qu'elle laissait souvent en sourdine.

Torrez, depuis son tabouret du couloir, lui fit un signe discret de la main. D'abord les dernières recherches :

— Tu as trouvé quelque chose, José ?

— Oui. Pour la peinture, j'ai un acheteur, trois jours avant dans un magasin de loisirs créatifs d'Avignon, qui correspond au portrait-robot que je leur ai scanné. Pour la nécro dans *Le Progrès*, par contre, ça s'est fait par téléphone et là on n'a rien.

— Le règlement ?

— Carte prépayée. Honnêtement, ne luttons pas contre l'évidence, on gagnera du temps : c'est le même tueur.

— On est d'accord, fit Capestan en s'emparant d'un feutre noir et en commençant à tracer les capitales en haut du tableau. Braquage de la banque Minerva, Lyon, 4 août 1992, deux morts, trois blessés.

Lewitz éternua d'un coup, puis se moucha avec la discrétion d'un premier trombone de la fanfare municipale. Il s'essuya rapidement le nez de son kleenex avant de remarquer :

— En pleines vacances, bon choix pour la fuite en voiture !

— Pour le manque de personnel policier aussi, rebondit Capestan. Ce qui nous amène à notre premier cadavre : Serge Rufus. C'est lui qui a débarqué sur la scène, en compagnie d'une nouvelle recrue et de deux stagiaires, autant dire la formation minimum. Mais sur le coup, il a vraiment assuré, puisqu'il a arrêté l'un des deux braqueurs, le plus dangereux, celui qui avait tiré sur les victimes.

Capestan reboucha le stylo.

— J'en reviens au braquage, donc : en milieu de matinée, deux hommes cagoulés et armés de pistolets automatiques déboulent dans la banque Minerva près des quais dans le 6e arrondissement de Lyon. Pendant que le premier passe derrière le comptoir et engouffre l'argent dans un sac, le second garde en joue les deux conseillers de la banque et les quatre clients présents à cette heure-là. Une fois l'argent des caisses embarqué, le premier part à la recherche du directeur, sans doute pour se faire ouvrir les coffres. Là, on retrouve Alexis Velowski : c'est dans son bureau que le malfrat tue deux personnes sous ses yeux. Complètement traumatisé, Velowski témoignera au procès avant d'enchaîner sur six mois de dépression en maison de repos. Le tueur retourne alors dans le hall de la banque, mais l'alarme a été donnée et c'est là que débarquent Rufus et sa maigre troupe. Le second braqueur, celui qui se contentait de surveiller, réussit à s'enfuir.

— Jacques Melonne ? demanda Rosière.

— La question se pose. Le signalement ne correspond pas : corpulence, voix, taille, couleur des yeux. Les clients, le personnel, les témoignages ne sont pas vraiment concordants avec ceux de la police. Il y avait la cagoule, la tension, la rapidité aussi, car entre le moment où ils entrent et le moment où tout s'arrête, il ne s'est pas écoulé quinze minutes. Le nom de Jacques Melonne était apparu dans la liste des complices potentiels puisqu'il avait eu de vagues accointances avec l'autre braqueur par le passé, mais ce n'est pas sa candidature qui avait le plus retenu l'attention.

— L'option est différente aujourd'hui, affirma Lebreton dont le nez aquilin avait lui aussi gonflé et rougi sous l'effet d'un rhume de saison.

Une bonne moitié de la brigade traînait son petit virus et les corbeilles regorgeaient de mouchoirs froissés en boule. On entendait renifler à intervalles réguliers, avec plus ou moins de retenue.

— C'est certain. Ainsi nous aurions nos trois affaires à nous : Rufus le flic, Velowski le témoin, Melonne le truand.

— Dans le jeu des sept familles, commença Évrard, celui qui manque doit être...

— ... le tueur, exactement. On peut penser qu'il s'agit du braqueur-tireur. Il abat celui qui l'a arrêté, celui dont le témoignage l'a envoyé en cabane, celui qui a fui sans se retourner. Il est revenu pour se venger...

— ... Ou peut-être pour récupérer l'argent auprès de Melonne aussi, poursuivit Évrard en tirant sur une mèche de ses cheveux blonds mousseux. On a eu des infos sur les mouvements des comptes suisses depuis le meurtre ?

— Non, aucune info. Les coffres genevois ne se visitent pas très bien, releva Orsini. Surtout sans motif et sans pouvoir.

— Surtout, approuva Capestan, les yeux dans ceux du capitaine.

Elle repensa à l'absence d'image chez Velowski. Il se sentait coupable. De quoi ? Lâcheté ? Complicité ?

Dans le salon, les remarques fusaient au rythme du clignotement des guirlandes. Les craquements du feu dans la cheminée ponctuaient des phrases au hasard, leur conférant une profondeur qu'elles n'ambitionnaient pas.

— Notre assassin à nous, ça peut être le chauffeur aussi, signala Lewitz d'une voix nasale. C'est qui le chauffeur ?

— Il n'y en avait pas.

— Tu rigoles ? Pas de chauffeur sur un braquage ? Ils comptaient repartir en trottinette ?

— Non, en voiture en effet, mais elle était stationnée plus loin.

— Stationnée ? Pas en train de tourner ? Ils étaient pas nerveux, les gars.

— Ils n'ont peut-être pas trouvé de pilote ou pas voulu partager, élargir la bande. Dans le dossier des acolytes habituels, il n'y avait aucun profil de conducteur, en effet, réfléchit Capestan.

La remarque de Lewitz n'était pas du tout dénuée d'intérêt, la commissaire lui demanda d'étudier la question après la pause déjeuner.

Elle hésitait encore à révéler ce qu'elle avait lu, là maintenant, au milieu de la réunion. Elle n'aimait pas cacher quoi que ce soit à la brigade. Qui irait parler ? Qui pouvait se taire ? L'équipe s'en remettrait-elle ? Pouvait-on souder sans confiance ?

Capestan contempla le visage des policiers. Dax, à la fois terriblement attentif et totalement déconcentré, Rosière toujours agacée, Orsini qui semblait la défier sans joie et Merlot, gobelet vide dans une main et, dans l'autre, le rat sur lequel il avait manqué s'asseoir. De son côté, debout derrière une chaise dont il tenait le dossier, le bouillonnant Saint-Lô frémissait d'urgence :

— Bien, notre scélérat est donc démasqué. Qu'attendons-nous pour courir sus ? Quel est son nom ? Où séjourne-t-il ?

Oui, les vraies questions étaient là. Les autres attendraient.

— Son nom est Max Ramier. Et en effet, notre programme du jour, c'est de le débusquer.

Lewitz abandonna son niveau à bulles et alla fouiller dans sa caisse à outils pour trouver le fil à plomb. Il l'approcha ensuite du coin supérieur de la bibliothèque qu'il venait d'achever pour habiller la salle de jeux.

Bon. Le niveau à bulles et le fil à plomb étaient d'accord : le meuble penchait à droite, assez nettement. Ou le sol après tout, c'était sans doute le sol qui penchait. Et puis de loin, ça ne se voyait pas beaucoup et une fois la bibliothèque remplie, ça ne se verrait plus du tout.

Lewitz alla chercher sur le comptoir du bar les jeux et les livres que chacun avait apportés pour garnir le fond commun. Quand il posa la boîte de Scrabble sur l'étagère centrale, elle accrocha un peu sur la peinture encore fraîche. Ça ferait un souvenir.

21

— Est-ce que quelqu'un dans toute l'administration pénitentiaire va accepter de me répondre au téléphone ou est-ce que je dois me déplacer ? Je vous préviens, je suis le lieutenant Torrez. Vous me préférez au bout du fil. Oui, je patiente. Encore.

Exaspéré, Torrez lâcha le micro de son kit mains libres et s'empara de son fer à repasser. Il écrasa le museau vaporeux sur le col de chemise avec une telle force que la table en trembla sur ses tubes alu. On le baladait de service en service depuis plus d'une heure et lui, d'ordinaire si calme et buté dans ses recherches, commençait à trouver le temps long. Il ne progressait pas sur les chemises non plus et, si près de l'échéance, ça le préoccupait.

Max Ramier n'était pas sorti pour bonne conduite. Il avait purgé la totalité de sa peine et semé une saine terreur sur ses parcours de promenade. Peu de prisonniers avaient reçu son amitié, encore moins ses confidences. C'était un homme agressif, en proie à des accès de colère aussi brusques qu'inexpliqués. Radio Zonzon n'avait pas recueilli beaucoup de données, si ce n'est que l'homme n'avait jamais évoqué aucun magot caché. Il ne dépensait rien. Il ne ressassait pas non plus et n'évoquait aucune vengeance à venir, aucune leçon à donner. Ce qui le différenciait de ses semblables du braco qui agitaient souvent d'improbables comptes à régler dans le sang et accusaient les hommes libres dans leur entier du sinistre sort qui les avait cloués là. Ramier agissait plus qu'il ne parlait, un original.

Puisque Radio Zonzon calait, Torrez concentrait ses efforts sur l'administration. Il fallait l'adresse de Ramier. Celle consignée dans le dossier du braquage n'était plus valable depuis de longues années, la prison ayant tenu lieu de subite dédite : en l'absence de loyer, la régie avait régularisé la situation. Mais Ramier n'avait pu sortir de la maison d'arrêt de Lyon-Corbas sans communiquer une adresse, même provisoire. Il avait forcément un conseiller pénitentiaire d'insertion et probation. Ce sont ces infos qui tardaient à venir.

Encore un faux pli en haut de la manche. Torrez reposa le fer en soupirant. Il n'y parviendrait jamais. Trois coups brefs frappés à la porte. Capestan.

— Entrez !

Elle ouvrit la porte, tout sourire comme à son habitude.

— Le tam-tam des cabanes ?

Torrez lui résuma les informations.

— Très bien, fit-elle. Tu me bipes si tu as du nouveau ?

Le lieutenant acquiesça. La commissaire ne lui avait pas même posé de question sur ce pressing ambulant, elle était tellement peu intrusive qu'on pouvait parfois se demander si ce n'était pas de l'indifférence. Torrez

170

savait que non, Capestan avait l'habitude de se garder ses questions, ses préoccupations, ses douleurs et ses colères. Elle ne partageait que les joies et les enthousiasmes, persuadée de ne rien révéler du reste. De fait, elle avait cet abord clair et franc qui semblait afficher tout et ne rien cacher, sans pour autant qu'on sache quoi que ce soit d'elle. Mais à défaut de parvenir à la déchiffrer, Torrez commençait à bien la connaître et là, elle était soucieuse. Un problème voltigeait dans sa cervelle, le lieutenant le voyait presque passer derrière les carreaux du regard. Il saurait, elle dirait, quand il le faudrait. Et si elle se taisait, c'est qu'elle avait ses raisons, Torrez ne doutait jamais de la commissaire. Elle referma la porte sans la claquer. Le mobile du lieutenant vibra. Enfin. La menace d'une visite avait porté ses fruits.

Capestan regagna le salon. Elle avait envisagé de parler à Torrez mais il avait déjà son sujet, inutile de mélanger. Elle évoluait dans le commissariat, tournant sans se poser, comme pour fuir un éventuel appel de la hiérarchie, un coup de fil qui les débarquerait de l'affaire. Ou une question qui l'obligerait à répondre, à décider.

Dax avait copié le nom Max Ramier et le collait dans tous les champs web imaginables. À chaque fois qu'il relevait le nez et apercevait le Post-it « Effacer les traces », on le voyait grogner « Ah oui » et repartir sur son clavier. En quatre heures de recherches, il avait déjà trouvé trois homonymes, tous parfaitement inutiles mais dûment documentés.

La commissaire s'assit derrière son bureau et alluma sa grande lampe. En ce début d'après-midi, la lumière du triste jour était déjà insuffisante. Capestan rassembla tous ses esprits pour les déplacer dans le halo chaleureux de son abat-jour orangé. Lebreton toqua doucement la surface de son bureau.

— Diament a reçu le dossier du braquage ?

— Non. L'information n'est toujours pas remontée de Lyon. Et ce matin, je n'ai pas eu le temps de téléphoner moi-même…

— Il faut qu'on les prévienne, Anne. On va avoir l'air de dissimuler des infos. On n'aura pas l'air d'ailleurs, c'est exactement ce qu'on fait. Ce n'est pas honnête, c'est même franchement mauvais esprit.

Capestan arracha un mouchoir en papier de sa boîte et essuya le rond de thé qu'avait laissé sa tasse.

— Ça va, leurs découvertes ne nous sont pas parvenues à vitesse supersonique non plus.

— Faut jouer le jeu, Anne, là on gagne quoi ? Une journée, peut-être deux ? Ils ont placé un type en préventive, quand même. Ça lui fournit un sacré alibi pour le meurtre sur Lyon, et comme tous les crimes sont liés… faut qu'ils le libèrent.

Il avait raison, évidemment. De toute façon, à un moment ou un autre, ce dossier atterrirait au 36. Sauf que Lebreton ne disposait pas de toutes les données. Il n'avait pas lu la feuille. Capestan jeta le mouchoir dans la corbeille à ses pieds.

— Non.

— Enfin, Anne…

Capestan hésitait. La réserve instinctive liée à leur passif ne l'avait jamais totalement quittée. À tort. Si

172

quelqu'un dans l'équipe était capable de décisions réfléchies et sagement pesées, c'était bien le commandant. Il fallait le mettre au courant, il comprendrait et son avis serait précieux.

La commissaire retira précautionneusement une feuille du dernier tiroir de son bureau.

Il n'y avait pas que les trois victimes dans l'affaire Minerva. Un autre nom encore se baladait.

— Tiens, lis ça, c'était dans le dossier. Je ne leur donnerai pas, mais ils pourraient trouver tout seuls. Et je pense que chaque minute extorquée peut compter, mais dis-moi ce que tu en penses. C'est en bas de la feuille. Le nom des victimes.

La femme et le garçon abattus dans le bureau de Velowski s'appelaient Orsini.

— Merde, merde, merde, chuchota Lebreton en fixant le document.

L'idée de vengeance, leurs trouvailles dans l'enquête, tout apparaissait sous un jour nouveau. Sous une nuit nouvelle, en réalité.

Pourquoi Orsini n'avait-il rien dit ? Il savait que son nom finirait par remonter.

Sur quoi cherchait-il à gagner du temps ?

Et surtout : s'était-il contenté d'enquêter ou avait-il assassiné ?

La sonnette du commissariat retentit. Lebreton leva le nez et regarda Capestan. Tout deux savaient que c'était le lieutenant Diament qui attendait devant la porte. Il fallait réagir vite, décider maintenant. Lebreton tendit la feuille à Capestan :

— Elle était bien dans ton tiroir. Tu veux que je reçoive Diament ?

Capestan secoua la tête en signe de dénégation. Les sales manœuvres, c'était à elle de les assumer. Elle prit le dossier amputé et se dirigea vers la porte.

La masse du lieutenant Diament se tenait dans l'entrée et semblait extrêmement irritée. Les liaisons avaient été interrompues et on sentait la ferme réprobation de l'officier qui en avait la charge.

— Vous avez quelque chose pour nous, j'espère.

— Absolument. J'allais vous appeler.

— Non, vous n'alliez pas.

On ne pouvait pas tellement jouer avec Diament, il manquait de légèreté. Et d'envie. Son immense main attrapa le dossier et le compulsa en le faisant défiler du gras du pouce.

— Il y a tout ?

— Bien sûr, pourquoi ? Vous nous transmettez des dossiers incomplets, vous ?

Capestan, elle, aimait jouer.

Diament n'eut pas un sourire, pas l'expression du moindre regret, du plus petit fair-play. Ce n'est qu'une fois les talons tournés qu'il céda un « Au revoir, commissaire » de pure forme.

— N'oubliez pas de relâcher votre prévenu, le pauvre, lança Capestan avant qu'il n'entre dans l'ascenseur.

Elle n'avait pu retenir une provocation de starting-block à starting-block. La course inter-services redémarrait. Cette fois, il ne fallait pas la perdre. Un collègue était en jeu.

Ce collègue aussi il allait falloir l'affronter d'ailleurs, mais, avant, la commissaire devait procéder à de menues vérifications.

Installée dans le fauteuil club sous la fenêtre de la salle de billard, Rosière arrivait pratiquement à la fin du manuscrit. Elle se l'était enquillé d'une traite, pour saisir d'abord le sens de l'histoire. Une espèce de comédie de mœurs victorienne, dans l'esprit de Jane Austen. La trame, les personnages ne possédaient rien de commun avec l'épisode du braquage lyonnais et le trauma qu'il avait occasionné. Pourtant quelque chose, de l'ordre du subliminal, une sensation diffuse, travaillait Rosière. En soi, le roman ne valait pas tripette, les situations étaient décalées, les réactions à côté. Ça aurait pu passer pour de l'amateurisme mais, curieusement, chaque page, chaque phrase semblaient mûrement réfléchies, apposées en pleine conscience. Velowski cherchait à dire un truc, mais sans vouloir le dire, tout en souhaitant qu'on le comprenne, mais sans savoir non plus. Il avait tapé avec un clavier sous la main et un sac de nœuds dans la tronche. Il avait besoin qu'on prenne le temps de le connaître. C'est avec ce manuscrit, et seulement ce manuscrit, qu'il avait choisi de s'enfuir. Ce n'était pas anodin, même si les auteurs tiennent à leur texte comme à leur petit dernier. Rosière allait se mettre en marche, dépasser le récit et œuvrer en mode Écrivain. Sur une feuille cartonnée format A3, elle traça une grille et remplit les cases de titres verticales et horizontales : noms, objectifs, moyens, interactions, traits d'incarnation.

À l'instant où elle réajustait ses lunettes, Lewitz passa une tête et l'avertit :

— Torrez a envoyé du neuf à Capestan. Si tu veux venir.

— J'arrive, fit la capitaine en ronchonnant.

Pilou partit en poisson pilote.

— Vingt ans de prison, pas une seule visite, résuma la commissaire. Ramier a tué Melonne pour l'argent, mais le ressentiment a dû appuyer fort sur la gâchette lui aussi.

Elle frappa dans ses mains, avant d'enchaîner :

— Donc on a une adresse, c'est bon, 25, avenue Montaigne. On y va.

— Avenue Montaigne ? demanda Rosière.

— Oui.

— C'est l'adresse du Plaza Athénée, ça. Il se refuse rien, bonhomme.

22

Il avait fallu organiser une planque au débotté car Ramier n'était pas à l'hôtel lorsque Capestan et Lebreton s'étaient présentés. À cette improvisation s'ajoutaient deux problèmes. D'abord la brigade, coupée du Parquet, n'avait aucun mandat de recherche à l'encontre de ce tout nouveau suspect. À moins d'un flag ou d'un délit de fuite, ils ne pourraient pas arrêter Ramier. Ensuite, à la lecture du dossier, la BRI n'allait pas tarder à arriver aux mêmes conclusions que la brigade des Innocents, mais eux obtiendraient plus rapidement adresse et mandat. Peut-être étaient-ils déjà en route.

S'ils les devançaient et alpaguaient Ramier, alors l'affaire serait vite résolue. La BRI aurait son coupable. La brigade pourrait repartir l'enquête en berne, l'humiliation en hausse. Depuis son banc, postée en amont du palace sous l'allée de marronniers, Capestan guettait l'extrémité de la riche avenue Montaigne en multipliant les incantations. Il fallait que Ramier arrive maintenant.

Les arbres sans feuilles aux bogues nécrosées avaient été revêtus de guirlandes électriques pesant sur leurs branches amaigries. Les frondaisons dégarnies laissaient pleinement apparaître l'hôtel et sa façade en pierre de taille aux balconnets ourlés de géraniums vermillon. Le rouge des stores répondait à l'abondance des jardinières pour signer l'identité du lieu.

Comme menottées aux grilles qui soutenaient les bosquets de buis courant le long de la terrasse, des jeunes filles en grappes serrées, smartphones dégainés, patientaient et semblaient elles aussi multiplier les incantations. Ce n'était sûrement pas pour Ramier. Les voyant se déverser encore des rues perpendiculaires, Capestan se demanda un instant quelle autre personnalité attirait cette foule.

Garés quelques mètres en aval de l'Athénée, Saint-Lô et Lewitz profitaient des rétroviseurs comme de la vue rehaussée des fauteuils du 4×4 pour explorer la large avenue d'un œil exercé.

Lewitz n'en croyait pas sa chance. Il caressait le volant sport en cuir noir, effleurait le levier de vitesse du bout des doigts avec un respect et une admiration qu'il n'aurait pas voués aux fesses de Rihanna elle-même. Son seul regret, c'étaient ces vitres teintées. D'ailleurs, il l'avait dit au loueur :

— Attendez, je veux des vitres transparentes, moi, si je prends une Porsche, c'est pour qu'on voie ma tête au feu rouge ! Je vais pas rouler vitres baissées en plein décembre.

— Non, non, monsieur déraisonne, avait coupé Rosière qui tendait sa carte Platinum. Il est très content avec ces vitres-là.

Et tandis que le loueur repartait en se disant que la millionnaire ne prenait pas bien soin de son micheton,

178

Rosière se tournait vers Lewitz et lui rappelait l'origine de l'option luxe :

— C'est pour une planque, Lewitz, une PLAN-QUE. Caché. Devant le Plaza, c'est encore une Cayenne qui sera la moins visible, on est d'accord, mais si ta bouille de ravi s'agite à la portière, ce ne sera pas discret longtemps.

Lewitz s'était rendu à la CB plutôt qu'à la raison, mais il s'était rendu. Il ne regrettait pas : quelle ligne, quel confort, avec des boutons partout et des étalons plein le moteur. Tout à sa Porsche, il tentait de communiquer son enthousiasme à un partenaire parfaitement indifférent aux subtilités automobiles. Saint-Lô se tourna brièvement vers lui et lui accorda un hochement appréciateur de pure convenance. Après des heures de conversations de corps de garde subies dans des tavernes aux filles édentées, le capitaine et son âme de poète avaient appris à écouter sans entendre. Bercé au verbe de François Villon, Du Bellay, Ronsard et Clément Marot, il savait s'absenter du monde, celui-là même qui de toute façon ne le reconnaissait plus.

Enfant, Saint-Lô s'était imaginé un tout autre destin, forgé de panache et de batailles. Il avait si souvent rêvé de libérer une Excalibur, de chevaucher sans répit pour conquérir terres et gloires. Mais ses tripes et ses talents étaient coincés ici, en ce siècle où chacun ricanait.

Pourtant Saint-Lô sentait un vent nouveau souffler sur son visage, ses moustaches avaient détecté les effluves caractéristiques de l'aventure. Il y avait belle lurette qu'on ne lui avait confié pas la moindre mission, et observer à toutes fins policières ce nouveau palais des vanités l'accaparait tout autant qu'assurer jadis le guet au pied des campements du roi. Ainsi Lewitz babillait mais Saint-Lô, lui, revivait. Il sentait la sève des mousquetaires vibrer en lui et réveiller toute ardeur sur son passage. Il se savait prêt à pourfendre l'ennemi et se battre jusqu'à l'hallali. Verbe et bataille grimpaient en lui comme du lierre à l'assaut d'une façade vierge, le meilleur escrimeur du royaume était revenu prendre ses ordres.

Si Max Ramier se faufilait parmi la foule de jeunes filles hurlantes massées en fourmilière au pied de l'hôtel, Saint-Lô saurait le voir et extirper Lewitz de sa torpeur extatique.

D'un couvert d'argent à la ligne raffinée, Rosière harponnait sans relâche son assiette de salade italienne.

— C'est chiant la roquette, tu peux donner jusqu'à cinq coups de fourchette sans rien ramener.

Attablé à ses côtés, Lebreton touillait le café dans sa tasse de porcelaine fine. Rosière reposa son couteau et déchira un bout de pain pour saucer, marre à la fin. Sans compter que depuis deux heures qu'ils zonaient au bar de l'hôtel, ils avaient croisé du cristal, des pampilles et des snobinards par milliers, mais pas de Ramier, ni de vedettes. Du temps foutu. Tout ce qu'elle détestait. L'escarpin de Rosière battait le rythme effréné de son impatience.

— Qu'est-ce qu'on s'emmerde sur ces planques, quand même. J'aime pas attendre.

— Personne n'aime attendre, Eva, remarqua Lebreton en croisant ses longues jambes élégantes.

Son physique d'élu du stade associé à son allure de dandy se fondaient parfaitement dans le décor taillé à sa mesure. Et il s'en contrebalançait manifestement.

— Si, toi. Regarde. T'es là tout calme. On dirait un hobby.

Lebreton souleva un sourire en coin qui anima sa fine balafre. Il suivit du regard les cocktails qui tanguaient avec distinction sur le plateau d'un serveur en smoking. Le portrait à poils verts et bouclier lui revint en mémoire.

— C'est curieux pour un malfrat qui souhaite la jouer profil bas de s'installer dans un palace.

— Pas tant que ça. D'abord, il ne vise peut-être pas le profil bas. Au contraire, il multiplie les effets d'affichage et mises en scène théâtrales. Comme tous les braqueurs, il doit avoir un orgueil gros comme une voiture bélier. Ensuite, l'idée de péter dans des draps de soie a dû le faire sérieusement bicher en zonzon, il s'offre la grande vie que ses biffetons durement arrachés l'autorisent à ambitionner. Et enfin, la marque des palaces, c'est justement une discrétion qui confine à l'aveuglement envers les activités de leurs clients. Avant qu'un scandale ne vienne nettoyer cette tranquille impunité, y a plus d'un prince boursouflé qui sera descendu dans les suites de la capitale accompagné de son cheptel d'esclaves. À l'accueil on distribuait les clés sans sourciller, Monsieur a les moyens, Monsieur a fait le bon choix, la Maison espère vous revoir bientôt. Autant dire que ton Ramier, c'est de la roupie de sansonnet à côté.

— Oui. T'as raison. Il a dû se faire plaisir en rendant l'adresse à son conseiller de probation, en plus.

— Tu m'étonnes. Le rat qui emménage dans un grenier à farine.

— À propos de rat, où il est Merlot ?

— Il entraîne Ratafia pour la police.

— Ça marche ? s'étonna Lebreton.

— Ah ben, la bestiole, tu lui fais plus passer un beaujolais pour un côtes-du-rhône, c'est sûr. Maintenant, en matière d'explosifs ou de cocaïne, je pense que le dressage avance plus en dilettante. Mais Ratafia arrive déjà à suivre Merlot sans se faire écrabouiller, il a un bon instinct de survie et un jour peut-être, il servira la France ! Ça ne vaudra jamais un chien, mais chacun ses marottes.

Un homme à barbe passa dans la galerie et se refléta dans des centaines de miroirs. Les deux policiers se figèrent et suivirent le cheminement répercuté à l'infini. Non, trop épais, le cheveu trop blanc, fausse alerte.

— Raté, c'était le Père Noël, fit Rosière en tapant du poing dans sa paume. Ou plutôt un hipster comme il en tombe dix par jour sur les plateaux de tournage en ce moment.

La capitaine secoua la tête avec un sourire amusé. D'un index léger, Lebreton tapota le bord de sa tasse.

— Puisque tu parles de Noël d'ailleurs, tu ne voudrais pas m'accompagner dans ma famille pour le réveillon ? Ce sera mon premier sans Vincent et… une amie serait la bienvenue.

Rosière détourna le regard pour masquer son soulagement. Une grosse brique dégringolait de son plexus et s'évanouissait dans l'air partagé de l'amitié. Elle reconnaissait bien là la délicatesse de Louis-Baptiste qui faisait passer pour un service à lui rendre le réconfort qu'il apportait. De sa main ornée de pierres multicolores, elle palpa affectueusement l'avant-bras de Lebreton par-dessus la table :

— Ah ça, mon Loulou, merci, je serais très très heureuse de te chaperonner. Merci, vraiment. On ira faire des courses.

Évrard, un énorme Nikon à objectif sur le ventre, s'était fondue dans la foule. Les filles, tout comme les vendeurs des boutiques environnantes mais en plus bruyant, guettaient l'apparition de Kim Kardashian et Kanye West. Elles ne réagirent donc pas lorsque Évrard, elle, se tendit à la vue d'un homme brun, de taille moyenne, sans plus de barbe ni de lunettes.

— J'ai un visuel. Il passe devant l'ambassade du Canada, signala-t-elle à l'écran de son portable bloqué sur un appel à plusieurs.

Après avoir jeté elle aussi un bref coup d'œil en direction de l'ambassade, Capestan répondit à l'intention de toutes les unités mobiles.

— OK, Évrard, on le laisse nous dépasser et on y va toutes les deux par l'arrière. Lebreton et Rosière, vous nous rejoignez par l'avant mais sans vous montrer, qu'il s'imagine une fenêtre de fuite. Quand on est suffisamment près, Évrard, on sort notre carte. À mon avis, il va courir et, là devant, vous pourrez le taper. Si jamais il parvient à vous éviter, Lewitz, Saint-Lô, on compte sur vous, démarrez le moteur, fit la voix de Capestan.

La commissaire rejoignit Évrard et toutes deux s'approchèrent de Ramier du même pas. Alors que Lebreton et Rosière apparaissaient enfin en position dans leur champ, un énorme SUV les doubla et leur coupa la route pour piler net à la hauteur de Ramier dans un crissement de pneus. Le braqueur, dont la captivité n'avait pas émoussé les réflexes, prit un départ proprement foudroyant pour un homme de son âge. Les six policiers baraqués vêtus de noir qui débarquèrent du véhicule, engoncés dans leurs gilets pare-balles, eurent un instant de sidération. C'est cet instant qui suffit aux jeunes filles pour s'imaginer que le rutilant SUV renfermait idoles et gardes du corps. Elles grimpèrent aussitôt à l'assaut des forces d'intervention et de la carrosserie. Allongées sur le capot, plaquées contre le pare-brise, emportant dans leur élan Lebreton et Rosière, elles bloquaient tout passage. Vrillant les oreilles des policiers de leurs cris stridents, les adolescentes agitaient leurs téléphones en mode selfie et immortalisaient le visage renfrogné des gars de la BRI en plein marasme. Pendant que le 36 brillerait sur Instagram, Kim et Kanye pourraient profiter de la diversion pour gagner leur suite incognito.

Capestan n'en revenait pas. À l'instant où la brigade allait enfin accrocher leur principal suspect, l'Antigang débarquait sur site avec ses grosses jantes pour tenter de leur souffler le bonhomme sous le nez. La planque était foutue pour tout le monde, Max Ramier ne repasserait plus dans le triangle d'or avant un moment. La commissaire fulminait, jusqu'à ce qu'elle aperçoive la Porsche de Lewitz et Saint-Lô déboîter et s'engager sur l'avenue dans la direction empruntée par le fuyard.

Ils prenaient le relais, la traque repartait. Capestan, cou tendu, suivait la voiture du regard. Un truc ne collait pas. Compte tenu de la puissance du bolide et du tempérament du pilote, la Porsche roulait à trop faible allure. Sûrement un problème mécanique, il ne manquait plus que ça. Décidément la chance leur refusait cette chasse.

— Accélère ! exhortait Saint-Lô, apercevant la silhouette de leur proie filer comme un dard le long du trottoir.

Lewitz, têtu, refusait d'appuyer sur le champignon et conduisait avec la fougue d'une mamie pleine d'arthrite. Il avait péniblement passé la seconde et estimait que c'était suffisant. Sa réputation de fou du volant, brûleur de mécanique, semblait aujourd'hui bâtie sur du sable.

— Allez !

— Non non non, sinon ça va l'abîmer. C'est pas grave, c'est pas grave, on le retrouvera, Ramier, c'est pas grave, non, non, non.

— Mais sanguienne…, fit Saint-Lô en amorçant un mouvement vers le conducteur.

— Non ! Ne touche pas ce volant, il est à moi ! hurla Lewitz en ouvrant des billes de fou furieux.

Saint-Lô, médusé, fixa son collègue. Lui-même avait connu semblable attachement pour Alezane, sa première jument, et subitement il comprit : cette voiture, plus que toute autre, Lewitz se tétanisait à l'idée de la détruire. Il l'aimait. En lui offrant le plus puissant des moteurs, la brigade avait neutralisé son fléau des pneus. Au moment de rendre le véhicule au loueur, le brigadier allait verser bien des larmes.

En attendant, Ramier avait déjà atteint les quais de Seine et sa course semblait partir à l'assaut de la tour Eiffel elle-même. Tout serait à refaire.

Cette planque se soldait par un abominable fiasco.

Merlot comptait profiter du calme provisoire du commissariat pour étudier de plus près ce calendrier de l'Avent que Rosière avait présenté avec tant d'effusion. Un glapissement aigu le détourna momentanément de ses projets. Il visa ses pieds par-dessus son ventre. Le cri provenait de Ratafia, dont il venait d'écraser la queue. Merlot se pencha dangereusement sur ses jambes raides et tendit sa paume ouverte afin que le rat grimpe et remonte le long de la manche du veston. Quand la bête fut calée sur son épaule, Merlot lui aplatit la tête et le dos d'une caresse réconfortante.

— Là, là, mon Rata, tout va bien.

Une fois le rat rasséréné, le capitaine put retourner à l'objet de son attention initiale : le calendrier de l'Avent, qui trônait toujours sur sa console. Merlot décacheta de son gros index la fenêtre du jour. Vide. La suivante. Vide aussi. Les perçant toutes avec de moins en moins de patience, le capitaine atteignit le casier du réveillon où se recroquevillait un petit tube de papier. Merlot le déroula pour lire :

« Ha, ha, je t'ai bien eu. »

Ainsi Rosière avait osé parier sur le vol des chocolats. Quel manque de confiance. Merlot était outré.

23

— C'est pour ça qu'on a créé des unités d'élite, pour pas que la première brigade de charlots venue saccage les arrestations. À l'heure qu'il est, Ramier, il devrait porter des bracelets au lieu de courir.

— Ce serait le cas si vos gros bras n'avaient pas débarqué à la frime. Manquait plus que le générique de *Texas Ranger* dans des haut-parleurs.

Les apparences comptaient et Capestan s'efforçait au calme dans son fauteuil. Elle luttait contre les élans de révolte et les sursauts d'indignation qui pulsaient dans ses membres au moindre son émis par le commandant Frost, chef de groupe à la BRI. Avec son front de rascasse, un sourire de tronçonneuse et l'œil plus vide que les avens des Causses, il respirait la suffisance et ne s'embarrassait ni de manières, ni d'humanité. Chacune de ses interventions martelait qu'on en voyait de dures sur le terrain et ça lui servait autant d'excuse que d'étendard.

Convoquée en sa présence dans le bureau de Buron, Capestan avait du mal à partager le même air. Duperry, divisionnaire à la Crim, semblait éprouver une répugnance similaire, mais celle-ci englobait tout autant le lieutenant Diament, insignifiant rouage, et Capestan, chef proclamé de la lie policière. Personne ici ne s'appréciait, ni même ne se respectait, en dehors du saint patron Buron, qui régnait bras écartés sur son bureau tel Zeus en son Olympe. Exactement le genre de public devant lequel Capestan appréciait d'éponger les savonnades.

— Non, reprit Frost en faisant grincer ses incisives, c'est juste que ça vous surprend, des flics avec le port d'arme autorisé. Et accessoirement un mandat d'amener. Tout seuls dans votre coin, vous comptiez l'arrêter pour quoi ? Quand on n'a pas les moyens de les exploiter, on communique les dossiers. Amateurs.

— Je vous rappelle que les amateurs, ils l'ont déniché, ce dossier, alors que les grands pros, ça fait une semaine qu'ils se gargarisent d'un innocent en préventive.

— Ah, les femmes. Vous verriez la gueule de l'innocent, fit Frost à l'intention de Buron et Duperry.

Ces derniers ne souhaitaient manifestement pas goûter à ce viril échange de gars avertis. Buron, dans un souci de modernité aussi politique qu'éprouvée, pratiquait peu ces plaisanteries. Il assistait en arbitre à un ping-pong dont il confisquerait bientôt la balle. Quant à Duperry, il n'écoutait pas. Il consultait son portable de façon à peine voilée et ponctuait chaque quart d'heure perdu d'un léger soupir. Dans l'alignement des fauteuils face au bureau de Buron, Duperry occupait celui de droite, le plus près de la porte. Son costume impeccable, sa chemise d'un bleu céleste et sa cravate au nœud savant contrastaient avec le blouson froissé et les cheveux blancs décoiffés de Frost. Tout à gauche du bureau se tenait Diament. Trop large pour caler son torse entre les accoudoirs, il avait dû s'installer à l'oblique et semblait ainsi ne suivre que son seul patron. Patron qui l'ignorait ostensiblement et coupait ses rares prises de parole d'un claquement de langue excédé.

Capestan ignora cette provocation délibérément sexiste, mais depuis trente minutes qu'elle essuyait le gros mépris qui tache de ce matamore à vue courte, l'envie de ferrailler commençait à chauffer. Non content d'avoir gâché leur interpellation, il se permettait encore de leur faire la leçon.

— Oui, il est sûrement coupable, mais sur une autre affaire. Maintenant, si c'est la nouvelle méthode de la BRI d'alpaguer un mec au hasard et de voir à quel dossier on peut le relier, comme pour les paires de chaussettes, ça vous regarde. Au final, ce que je retiens, c'est que votre élite, là, elle était à mille bornes de la piste. On est peut-être des charlots, mais je n'ai pas vu briller votre nom sur des masses de frontispices non plus.

— Ça va, Capestan, intervint Buron d'une voix calme.

Frost, satisfait, se tourna vers le directeur.

— Vous êtes…

— Ça va aussi, Frost. Vos deux brigades se sont comportées de manière irresponsable. Vos cachotteries et vos approximations ont conduit à la fuite du suspect numéro un dans une affaire de triple meurtre. Dont celui d'un collègue, je vous le rappelle. Vous avez ridiculisé la Maison. Heureusement, votre manie à tous deux de procéder en douce a permis que cette débandade ne s'ébruite pas. Mais je ne vous ai pas convoqués ici pour supporter vos chamailleries, on parle de la Judiciaire, recadrez-vous. J'attends de vous une collaboration qui honore l'institution, pas des guerres de territoire puériles. Duperry, je ne vous ai pas entendu. C'est bien votre brigade qui est saisie pourtant.

Levant le nez à regret de son écran, Duperry le rangea dans la poche intérieure de sa veste gris souris. Il esquissa un geste d'excuse à l'intention exclusive du directeur :

— Une affaire en cours, je dois valider les recherches…, chuchota-t-il sur un ton de confidence avant de s'éclaircir la voix. En effet, notre brigade est officiellement saisie de ce triple meurtre. Cependant, par respect pour la mémoire du commissaire Rufus et dans le souci d'honorer le cœur que met la BRI à résoudre cette enquête, nous ne souhaitons pas empiéter sur les recherches. Les coordinations sont trop souvent compliquées et nous préférons nous en remettre en toute confiance aux décisions de la BRI à qui nous avons délégué tous pouvoirs. Nous n'interviendrons qu'à la toute fin, en leur laissant bien sûr, souligna-t-il d'un sourire onctueux, l'entier mérite de cette issue.

Puis, se tournant vers Buron avec un œil d'une malice forcée :

— Si issue il y a, bien entendu.

En l'espèce, Duperry se lavait surtout les mains de toutes les faillites qui émaillaient l'enquête depuis son commencement. La Criminelle n'avait jamais raffolé de la BRI et n'entendait pas aujourd'hui ternir son blason immaculé en si piètre compagnie. Quant à la brigade des Innocents, quantité négligeable, le divisionnaire l'avait purement et simplement oubliée.

Frost, dont l'absence de finesse n'avait retenu que l'esprit de délégation et de mémoire, hocha la tête en direction de Buron à son tour. Il comptait, de façon plus directe, prononcer lui aussi l'éviction de la brigade de Capestan.

— Bon. J'imagine qu'on récupère tous les dossiers…

Buron plia ses lunettes et se rencogna dans son fauteuil, semblant envisager sérieusement cette éventualité. Un frisson d'angoisse et d'incrédulité parcourut l'échine de Capestan. Il n'allait pas oser. Le directeur fit tourner la branche de ses lunettes entre son pouce et son index, puis s'adressa directement à la commissaire :

— Vous auriez dû communiquer le dossier lyonnais au lieutenant Diament dès votre retour. Ainsi que vos découvertes précédentes sur Jacques Melonne. Je ne vous le répéterai pas deux fois, Capestan.

Irritée, la commissaire se retint d'arguer qu'il ne l'avait pas même dit une seule fois et qu'en l'occurrence la réserve à observer lui avait été clairement spécifiée. Capestan savait que la survie de sa brigade était directement liée aux louvoiements de ce mentor qui jouait de l'hypocrisie comme d'un art. Il donnait là la becquée aux deux oiseaux de proie qui cernaient Capestan. Elle acquiesça donc.

— J'enregistre, monsieur le directeur.

— Bien. Dans ce cas, les termes de votre collaboration demeurent inchangés. Je vous enjoins cependant de ne pas vous placer en travers de la route des brigades du 36.

Une chose et son contraire, communiquez mais sans vous montrer, la commissaire lisait couramment les filigranes de Buron. Pas Frost.

— Sauf votre respect, vous plaisantez, monsieur le directeur, fit-il. Je comprends que vous ayez pensé que la petite amie du fils apporterait un autre éclairage, mais on a vu ce que ça donnait… Il y a conflit d'intérêts, ça ne fonctionnera jamais et leurs choix hasardeux nous gênent dans la bonne marche de l'enquête.

Sans hausser le ton, Buron planta son regard dans celui de Frost pour bien entériner qui décidait ici. Le directeur n'avait pas à justifier ses choix.

— Je tiens à ce que la Police judiciaire dispose de toute la variété des talents de ses éléments. Je n'exige pas synergie mais entente cordiale. Et je souhaite être tenu chaque jour au courant des évolutions de l'enquête. Lieutenant Diament, je compte sur vous aussi.

Le lieutenant, surpris qu'on s'adresse à lui directement en cette réunion où Frost lui avait d'entrée de jeu supprimé la parole, bafouilla un instant avant de reconquérir toute sa raideur naturelle :

— Affirmatif, monsieur le directeur.

Avant que Frost ne prononce encore un mot et alors que Duperry hissait une première fesse hors de son fauteuil, Buron conclut la réunion en remettant ses lunettes avant d'ouvrir un nouveau dossier.

— Madame, messieurs, vous pouvez disposer, au revoir.

24

Rosière, manuscrit sous le bras, Pilote au mollet, se dirigea directement vers Capestan, qui buvait un thé dans l'air glacé de la terrasse désertée.

— J'ai une mauvaise nouvelle pour toi, Anne.

Une mauvaise nouvelle. Capestan venait de ramasser une soufflante ; un de ses collègues, Orsini, était probablement impliqué dans une affaire de triple meurtre, et leur principal suspect s'était envolé plus prestement que la queue du Mickey. Une mauvaise nouvelle. En ce moment, Capestan ne voyait pas franchement ce qui pourrait encore enrichir sa collection.

Profitant de la terrasse, Rosière abandonna le manuscrit sur un transat et sortit l'une de ses longues cigarettes. Elle claqua le clapet de son briquet en or et souffla une courte bouffée avant de préciser :

— C'est à propos de ton beau-père…

Si. Son mari pouvait encore enrichir cette collection. Dans cette enquête, Achille avait un dernier talon à blesser. Quel message allait-elle devoir porter à Paul ? Son beau-père, pour une fois, affichait un profil de seigneur sur l'affaire, Rosière allait-elle lui servir de quoi le chiffonner ? Une « mauvaise nouvelle », ça ne sentait pas la chamoisine des médailles, rien ne brillerait au bout. Capestan continua de touiller son thé, sans regarder la capitaine. Puis elle releva le visage pour signifier : « Vas-y, envoie, j'écoute. »

— Voilà. J'ai lu et relu le manuscrit, il est codé. J'ai d'abord opposé les lieux, les fonctions, les noms, les âges, les initiales, puis j'ai approfondi en décortiquant les moteurs des personnages. Et là, j'ai isolé les protagonistes du braquage. J'ai recoupé avec les dossiers qu'on avait pour affiner les CV et retracer le parcours dans la vie réelle. Ça colle. Alexis Velowski était complice, pas simplement témoin. Je pense même que c'était le cerveau de l'histoire. Mais il n'avait pas prévu que ça tournerait au drame, il s'est écroulé. Rufus aussi était complice. Dans le texte, l'homme qui incarne la justice a besoin de fonds pour lancer la carrière mondaine de son fils. Et l'identité du mécène dans le livre pourrait correspondre au producteur du trio monté par ton ex-mari.

— Pardon ?

— C'est le fric du braquage monté par ton beau-père qui a permis à ton mari de jouer les comiques.

— …

Capestan hocha la tête et saisit le dossier d'une des chaises. Elle s'assit et posa son mug sur la table en métal peint. Rosière s'installa en face, le chien allongé sous la chaise.

Rufus, un ripou. Pas de surprise foudroyante. La capitulation professionnelle ne venait que parachever une triste existence. Mais il l'avait fait pour servir son fils, devenu star par recel.

Capestan ne savait trop quel impact ce financement aurait sur Paul. Culpabilité, regret, retour d'affect ou au contraire rejet définitif de cette corruption et de cette ingérence ? À chaud, Capestan n'était pas sûre non plus de vouloir lui apprendre. Elle y réfléchirait plus tard.

Restait l'enquête. Avec un Rufus impliqué, on comprenait mieux la légèreté de son unité sur une intervention comme un hold-up. Cette police était venue pour les laisser s'échapper. Rufus ne s'attendait sûrement pas à ce que le sang coule.

— Qui est venu chercher qui pour monter le coup ? demanda Capestan en suivant du pouce l'anse de son mug. Tu sais qui les a présentés, qui avait des contacts ?

— Melonne. Lui et Velowski ont grandi dans le même quartier. Le manuscrit ne précise pas lequel, les dossiers de police non plus. Quand Velowski est devenu banquier, Melonne, qui avait déjà un petit casier, a renoué. Melonne était un braqueur mais pas un sociopathe, il n'a jamais tiré sur qui que ce soit. Et il servait d'indic à Rufus. À eux trois, ils ont dû se tricoter des rêves de grandeur et de pognon sans peine. L'erreur, l'inconnue, c'était d'embaucher Ramier. Là encore c'est Melonne qui joue les intermédiaires. Il l'avait connu tout jeune en prison, il n'a pas su évaluer la dangerosité du mec. Rufus non plus, Ramier n'avait encore jamais été identifié sur ses gros coups, son casier de l'époque était celui d'un jeune merdeux.

— Il n'y a pas d'autres participants ?

— Si, peut-être, je ne peux rien garantir. Pour mon analyse, je me suis appuyée sur les données dont on disposait.

Deux pigeons vinrent roucouler et bruisser des ailes sur l'angle opposé de la terrasse. La présence de deux humains assis calmement, ralentis par la froidure hivernale, n'avait rien pour impressionner les volatiles parigots. Le modeste métrage de lierre en berne les distrayait du paysage minéral de la place, ils se l'appropriaient. Pilote soupira, on l'obligeait à se lever pour mettre un peu d'ordre.

Melonne avait touché une grosse somme, ses allers-retours en Suisse en attestaient. Il l'avait dépensée avec prodigalité, pour compenser deux cadavres qui travaillaient sûrement ses nuits. Velowski, miné lui aussi, avait opté pour l'autodisparition, cet argent lui avait permis de se retirer du monde. Mais Rufus ? Capestan ne l'avait plus vu depuis vingt ans. Dans son rapport des rumeurs, Merlot n'avait pas indiqué de signes de grande vie.

— Après leur garde à vue, quand ils croyaient l'affaire résolue, les cow-boys nous ont passé des dossiers. Il y avait les relevés bancaires de Rufus dedans ?

— Oui, je crois. Mais un flic ne se serait pas amusé à déposer ses biffetons vérolés au Crédit mutuel. Ah remarque, on peut voir s'il y a des retraits en liquide : si on n'en trouve aucun, c'est qu'il avait une réserve cachée.

— Oui. On saura s'il a planqué le magot quelque part et si c'est cette adresse que Ramier a cherché à lui extorquer en le torturant.

— Ou peut-être qu'il l'a entièrement investi dans la carrière de son fils.

Rosière fit tourner la braise de la cigarette dans le cendrier, puis adressa un sourire tout maternel à sa collègue.

— Cette fois, il faut que tu retournes le voir, ma louloute.

Capestan opina. Elle n'avait pas réellement le choix. Les frissons d'impatience et de contrariété se heurtèrent, fusionnèrent et s'évaporèrent, laissant place au vide.

Il y aurait aussi la question de la divulgation de l'information. Comme pour Orsini, le silence était peut-être une meilleure option.

— Tu en as parlé aux autres ?

— Non. Ça, c'est ton merdier, pas le nôtre. Tu trancheras.

Et Capestan, qui répugnait à cacher quoi que ce soit à sa brigade, s'offrait là un second cas de conscience. Sur cette affaire, elle leur demandait à tous de bosser, elle les avait bousculés, pour au final ne rien leur révéler des découvertes. Elle ne s'aimait pas trop dans ce miroir-là.

Avec la corruption de Rufus, elle allait de nouveau salir la réputation d'un flic. Encore en tenir un dans le viseur et tous les autres dans le dos. Peut-être même en ternir deux, avec Orsini. Les Innocents avaient eu raison de regimber au départ, on allait dégringoler quelques paliers de plus.

D'un autre côté, la Crim et la BRI n'avaient pas eu ce manuscrit. Et même s'ils l'obtenaient, ils n'avaient pas Rosière pour le décoder. Ces infos, si elle le décidait, pouvaient rester cloîtrées entre ces murs.

Auprès de qui salir ou mentir ? La brigade ? Le 36 ? La justice ? Paul ? À qui dire quoi ?

Capestan tournait et retournait les questions dans sa tête comme on renverse un vase pour en repérer les ébréchures. Un coup et tout volait en éclats.

Elle devait affronter Paul et écorner l'image qu'elle avait promis, trop légèrement, de ne pas toucher lorsqu'elle lui avait annoncé le meurtre.

Capestan pouvait aussi taire ce point et attendre un déluge favorable.

Mais elle devait revoir son mari, cela au moins était certain. L'envie, la peur et la culpabilité se livrèrent une nouvelle bataille que Capestan feignit de ne pas remarquer.

La commissaire alla chercher une excuse dans le regard empli de compassion et de certitudes de Rosière. En poussant un profond soupir, très lentement, elle saisit son mobile qui attendait sur la table, à côté du thé refroidi.

25

Les rangs de sièges vides du théâtre à l'italienne se
succédaient dans le noir. Au bout, la scène illuminée
portait un jeune homme plein d'énergie et de morgue.
Il arpentait les planches avec l'air de demander à Dieu
lui-même comment il trouvait son stand-up et s'il avait
tout compris. Il réclamait plus de lumière, plus de son,
plus de rires. Il avait du talent, mais plus d'ambition
encore. Capestan reconnut sa tête qui s'affichait en une
moue de candide rigolo un peu partout dans Paris.

Dieu ne lui répondait pas, le metteur en scène en
revanche, assis au centre du théâtre, envoyait des indi-
cations de sa superbe voix, timbrée pile sur le diapason
qui tendait la colonne vertébrale de Capestan. La commissaire s'arrêta en haut de la salle et, plongée dans
l'obscurité, contempla l'épaisse chevelure dont les
spots réveillaient le blond par transparence. Les épaules
larges dépassaient du fauteuil. Avec les années, la silhouette s'était épaissie, sans s'empâter. Paul restait
vigilant. Il était coquet. Son père l'avait assez moqué
sur ce point. Le fils avait hérité de sa beauté très virile
sans en reprendre la rusticité. Un comédien, un frimeur. Un loyal et gentil, mais qui fuyait le malheur

avec une ténacité venue droit de l'enfance. Quand Capestan avait dévissé, il n'avait pas tenu un an. Elle avait cessé de rire, il avait cessé de rester. La sanction était tombée sans appel, sans délai.

Anne savait qu'elle n'avait pas été conciliante, ni même aimable. À l'époque, elle se montrait dure, fermée, cassante. Toutes ses forces étaient mobilisées ailleurs, sur les enquêtes et la nécessité de se maintenir à flot. Il ne lui restait rien pour demeurer simplement vivable. Cette existence aux côtés du grand prince des soirées rutilantes la plongeait en pleine schizophrénie, en plein ressentiment aussi parfois. Elle avait aimé Paul pour une voltige qui lui avait collé la nausée. Elle avait cherché le lumineux, la joie, l'intelligence, mais face à ce qu'elle vivait dans son métier cela lui avait paru soudain indécent. Elle avait essayé. Pas assez.

Et Paul non plus.

Capestan expira. Elle en voulait à cette silhouette qui dirigeait la scène d'une voix calme depuis son fauteuil. Dans le même mouvement, l'impatience aiguillonnait ses jambes, la poussant à descendre ces rangées le plus vite possible pour s'installer dans le siège juste à côté et respirer ensemble, seuls dans ce théâtre éteint. Sauf qu'elle avait des questions à poser.

En l'apercevant à l'autre bout du rang, Paul se leva aussitôt avec sa tête de bouquet final, les genoux gênés par l'assise du siège. D'une main empressée, il fit signe à Capestan d'approcher. Elle parcourut la rangée et hésita à laisser un siège vide entre eux, mais finalement choisit celui d'à côté. Serrant son épaule, il l'embrassa rapidement sur la joue. Ils s'assirent puis regardèrent le gars qui parlait fort sur scène, repoussant

les évocations de meurtres et de soupçons. Ils savou-
rèrent ainsi leurs auras en contact quelques instants,
comme soulagées, retrouvées. Par capillarité, trans-
mission bienveillante de textile à épiderme, Capestan
sentait le coton de la chemise de Paul contre le cachemire de son pull. Ils s'effleuraient doucement, la sen-
sualité à fleur de fil. Après avoir profité de cet instant
de grâce et avant qu'il n'envahisse ses résolutions, la
commissaire se lança, en sourdine.

— On avance. On a sûrement identifié l'assassin de
ton père. Max Ramier, je ne sais pas si ça t'évoque
quelque chose. C'est sa photo, ajouta-t-elle en lui mon-
trant sur son portable le cliché de la police.

— Non... Rien qui me vienne en tout cas.

— Eux non plus ? demanda-t-elle en faisant défiler
Melonne et Velowski.

— Eux peut-être. Mais c'est flou, je ne vais pas pouvoir vraiment te dire. Et... on sait pourquoi il l'a tué ?

— Règlement de comptes, manifestement.

Capestan marqua un temps d'hésitation. C'était
maintenant qu'il fallait le dire, ou non.

— Il s'agit d'un braqueur, meurtrier de surcroît. Ton
père l'a arrêté et envoyé en taule. Il s'est vengé en sortant.

Paul hocha la tête. Digérant une information qu'il
n'avait sans doute pas espérée en faveur de son père.
Que savait-il de la corruption du flic ? Était-il finalement
déjà au courant ? Capestan n'aurait su dire et ce doute
qui ne l'avait jamais traversée la perturba subitement.

Elle s'était néanmoins engagée dans une voie, le
mensonge par omission, et il fallait la suivre. Même si
elle rendait la suite des questions plus difficile à amener. Capestan choisit la diversion.

— Il marche, ton petit nouveau ? demanda-t-elle en désignant le comédien du menton.

— Très bien. Il est assez sollicitant, mais il commence vraiment à se faire connaître. Il tourne sur You-Tube, quelques pastilles télé, il est le bon candidat des émissions de jeux du vendredi, il se forge son étoile avec détermination.

— Et toi ? Toujours pas envie de replonger ?

— Parfois…

Paul lissa ses cheveux en une parodie d'arrogance :

— J'ai appris hier que je n'étais plus has been.

— De nouveau tendance ?

— Non, non. Vintage. Ce ne sont que les frémissements, mais l'idée de nous réunir à nouveau fait son chemin dans les maisons de production. Cinéma cette fois. Un long, en forme d'événement nostalgie.

— Bien…

Paul eut une moue qui invitait à ne pas trop s'emballer.

— Si le scénario se tient, oui ça peut être très bien.

— Faut réunir les fonds, j'imagine.

— Ah ben oui. Bien sûr. C'est même toute la question, fit-il en évaluant son rasage de la main.

— Comment ça s'est passé pour votre montée à Paris de l'époque ?

Un rire bref s'échappa de Paul.

— Honnêtement ? Je n'en ai pas la moindre idée.

— Tu rigoles ?

— Non, je sais, ça paraît incroyable, mais il faut resituer. Tu te souviens de moi à cet âge, j'étais très au-delà du kéké. C'est plutôt Denis qui gérait ces affaires-là, moi je faisais juste le beau.

— Pas seulement, Paul, arrête avec ça.

La dévalorisation, implantée au burin, restait gravée dans le socle. Personne n'avait jamais pu la poncer. Pourtant, en plus de faire le beau, Paul avait entièrement écrit ces sketches qui avaient fait hurler de rire des millions de gens. Son humour touchait pile sans jamais blesser, unissant les masses, et cela au prix d'un effort et d'une rigueur auxquels nul kéké ne se serait plié. En matière d'argent, en revanche, il se concentrait assez peu, fallait reconnaître. Et il faudrait vérifier cette histoire de production auprès de Denis. Lui devait savoir des choses que Paul ignorait et connaître notamment le montant de cette production.

— Bof. Je n'étais pas un phénix à l'époque, je ne visais pas loin quand même, dit-il sans beaucoup d'indulgence dans le ton. La seule chose qui me préoccupait c'était d'avancer et de mener ma vie. Aucune notion des tenants, des aboutissants, des causes, des conséquences.

— Tu cherchais à t'échapper. Et t'avais ton âge.

Il haussa légèrement les épaules et sa chemise frotta contre le velours du fauteuil.

— Tu l'avais aussi, toi ? demanda-t-il sincèrement.

— Un peu. Moins quand même, concéda-t-elle en souriant.

— Ah.

« Sauf en ta présence », pensa-t-elle. Paul lui faisait perdre dix ans et cent points de QI à l'époque. Une simple apparition et elle ne comprenait même plus *Le Miel et les Abeilles*. C'étaient les prémices de l'amour, la recette du flan dans la tête et des diodes dans tout le reste du corps.

— Tu me demandes ça, ça a un rapport avec l'enquête ?

— Non, aucun, mentit-elle.

Ces fauteuils, en évitant le face-à-face, facilitaient les choses.

— Le braquage a eu lieu lorsque vous étiez encore à Lyon. Tu as des souvenirs de fréquentations particulières de ton père, d'emplois du temps qui déviaient de la normale ? De menaces, de chantage peut-être ?

Elle hésita et ajouta, même si cela relevait de l'habitude :

— De changements d'humeur ?

— Des changements d'humeur. (Paul poussa un profond soupir.) Oui, les dernières années lyonnaises étaient particulières, mais je ne saurais trop déterminer en quoi. Je découvrais une autre vie, d'autres gens, une autre envie de me défendre aussi. J'avais quitté l'appartement. Est-ce qu'avec un fils adulte sur le départ, il se comportait différemment, ou bien était-ce son boulot qui modifiait son attitude, je ne peux pas vraiment te dire. Encore une fois, à l'époque, sorti de toi et de ma carrière, je n'avais pas vraiment l'impression qu'il existait quoi que ce soit. Et mon père, je l'avais assez vu comme ça.

— Oui, oui. Plus récemment, tu l'as vu ? Tu as remarqué des détails, une certaine nervosité ?

— Non.

Paul fixa une peluche fantôme sur son jean, la chassa doucement, puis se tourna vers Capestan.

— Je ne l'ai plus jamais revu après le mariage, tu sais.

Capestan savait.

26

Aux environs de Paris, septembre 1993

Dans la petite chambre de l'hôtel de campagne, Paul tentait nerveusement de nouer sa cravate, mais ses mains tremblaient de rage. Il voyait le rictus dégoûté de son père dans le miroir de l'armoire. De toute sa hauteur, dans un costume dont ses muscles menaçaient les coutures, il haranguait son fils pour le pousser à renoncer, à abandonner.

— Tu ne seras jamais à la hauteur d'une femme flic, tu n'as pas la carrure, tu n'es qu'un rigolo. Regarde-toi avec ta cravate assortie, t'as mis des heures à la choisir, hein ? T'as claqué combien dans ton costard de play-boy ? Là, le voilà bien rasé, parfumé, toiletté…

— Ta gueule, lâcha Paul.

Cette fois, Serge eut un sourire mauvais, il s'approcha, le toisa.

— Tu ne parles pas sur ce ton à ton père, tu n'en as pas les moyens. Et tu m'écoutes, merdeux. Capestan, tu n'en as pas les moyens non plus. Elle va affronter des trucs dont tu n'as pas idée. Pendant que tu siroteras des coupettes en soirée, elle va nager dans des crasses que tu ne veux pas connaître. Et quand elle rentrera, qu'elle aura besoin des épaules d'un mec solide, qui sait encaisser, elle va trouver quoi ? Regarde-toi bordel, qu'est-ce qu'elle va trouver ?

— Un homme qui lui parle, l'écoute, et ne file pas des beignes à son fils. Maman aurait aimé ça, peut-être.

Paul n'osa pas le « Gros con » qui venait derrière. Il sentait les larmes monter, il ne voulait pas lui faire cette joie, lui donner raison. Putain, il avait enfin quelque chose de beau, de bon, de grand qui arrivait dans sa vie, quelque chose qui éclairait tous les coins, mais non : l'ombre guettait toujours, cherchait à s'agrandir, à tout menacer.

— Ta mère a toujours pu compter sur moi, elle…

— Compter sur qui ? Avec tes grosses couilles de macho, t'es le pire mari qu'elle pouvait avoir, elle a eu une vie de merde et elle en a crevé de tristesse.

Le poing s'écrasa sur son arcade sourcilière, qui explosa sous le choc. Aveuglé, sonné, Paul percuta l'armoire, brisant le miroir dont les éclats s'éparpillèrent sur le plancher. Il réussit à se maintenir debout, les doigts crochetés sur le battant. Un éclat encore coincé dans le cadre lui entailla la paume. Il s'essuya les yeux de la manche de sa chemise amidonnée. Le blanc éclatant du tissu était maculé de rouge, le costume, la cravate épongeaient le sang qui dégoulinait de l'arcade. Paul releva la tête et vit l'œil satisfait de son père, prêt à cogner encore pour montrer qui régnait ici. De nouveau, la terreur grimpa, venue de tellement loin, venue d'avant la mémoire, déjà inscrite dans un corps tout petit. Bien pire que la douleur, elle paralysait les membres, la pensée, tous les instincts qui pouvaient aider à se défendre devant la figure même du commandement.

Mais Paul avait grandi. Le rugby, la boxe, le hockey, les arts martiaux et les provocations de fin de soirée, il avait tout touché pour s'approprier la violence. Il se préparait, depuis plusieurs années déjà. Il attendait l'occasion, l'étincelle qui éteindrait la peur.

— Aujourd'hui c'est mon mariage, papa. Tu ne devrais pas jouer avec les symboles. C'est le moment où les situations se retournent.

L'œil enflé, à moitié fermé, Paul se redressait. Il réalisait qu'il faisait la même taille que son père. Peut-être même était-il plus grand. Et aussi large. Venu du plus lointain de son âge, un afflux de force gagna ses bras, dégagea sa cage thoracique : Paul saisit son père par le revers de son costume et lui décocha un upper-cut gonflé de colère.

En un seul coup, il l'assomma.

Et le gifla pour le réveiller.

— Retourne dans ta chambre, va te changer et nettoie le sang toi aussi. Dans quinze minutes, je me marie.

Le maire passait alternativement du visage sublime de la mariée au faciès tuméfié de son futur époux. Paul avait pitié du pauvre homme qui bafouillait, bégayait, se reportait sans cesse à ses notes, incapable de se concentrer.

Anne, 20 ans, portait une robe crème d'une sobriété originelle, surmontée d'un chignon à l'élégance sans apprêt. Paul avait récupéré son jean et le polo vert qu'il comptait porter le lendemain. Ce qui perturbait sans doute plus encore l'édile, c'était l'absence totale de stress ou de dépit dans l'attitude de la future épouse et le sourire rayonnant du bonheur le plus pur sur la trogne en brugnon du marié.

Après l'affrontement, Paul avait calmé sa rage sous la douche. Il avait roulé ses vêtements ensanglantés en boule dans son sac et il s'était changé. Peu à peu la haine avait reflué pour laisser place à la seule vérité du moment : il avait répliqué. Son père, sous son injonction, était sorti de la chambre. Pour la première fois, il avait fait reculer l'ennemi, qui ne s'y risquerait plus, en connaisseur des gongs de fin. Sa vie, aujourd'hui, pouvait se lier à celle d'Anne, il était libéré d'entraves. La peur resterait encore des années, imprimée dans le cortex, mais la volonté marchait devant.

Quand il était entré dans la chambre de Capestan pour l'avertir, le visage de celle-ci s'était décomposé. Il avait prononcé les premiers mots et aussitôt elle avait eu un mouvement vers la porte. Il l'avait retenue. Ils avaient parlé. C'était sa bataille à lui. Il avait expliqué la rage et la paix. La joie même maintenant, il se sentait gonflé d'une existence nouvelle, une cérémonie les attendait. Elle avait décoché son sourire, celui qui bouleversait toutes les météos. Ils étaient descendus et avaient gagné la mairie, ensemble.

Après avoir péniblement officié, devant une salle pleine, et perplexe, le magistrat finit par les déclarer mari et femme. Ils échangèrent des alliances minces de jeunes gens et s'embrassèrent très rapidement, les invités regardaient. Et puis la joue de Paul était encore très douloureuse.

Les nouveaux mariés se tournèrent vers l'assistance. Les familles se forcèrent à sourire, alors que réparties chacune sur un côté de la salle, elles s'observaient en chiens de faïence. Le père de Paul, défiguré lui aussi, se tenait droit comme un gibet, la bouche serrée, le regard menaçant. Les tantes, oncles, cousins et cousines, embarrassés, peu surpris, feignaient de ne pas le voir, ceci en évitant du regard la famille Capestan. La manœuvre n'était pas aisée.

Les proches et parents d'Anne, tout en conservant une apparence de parfaite dignité et faisant mine de ne rien avoir remarqué d'anormal, semblaient ne rien comprendre à cette histoire, à cette erreur. Ils se demandaient certainement si leur déception devrait creuser encore, attaquer les fondements même de l'estime qu'ils portaient à cette petite fille espiègle, gentille, qui avait si curieusement grandi.

En intégrant la police, Anne avait déjà choisi une voie inhabituelle. Même si ses succès à l'école de Saint-Cyr lui avaient ouvert grand les portes des postes les plus prestigieux en la matière, tant qu'à rester dans la justice, la magistrature eût paru plus naturelle à une jeune femme de sa condition. Mais comme le disait son grand-père, avec plus de regret que d'admiration : « Anne a son petit tempérament, une originale. » En contractant ce mariage, elle flirtait désormais avec le statut de paria. On ne voulait pas juger, bien sûr, mais les unions ainsi décalées fonctionnaient rarement. Au moment d'élever les enfants, ces différences, que la vigueur des passions post-adolescentes effaçait, resurgiraient bien vite et feraient voler le couple en éclats.

Paul avait conscience que sa tenue, son visage, son père alimentaient dans sa belle-famille des préoccupations déjà bien ancrées et, sans doute, naturelles. Il en était désolé pour Anne et n'en pouvait plus de se repeigner pour limiter les dégâts.

À ses côtés, Anne ne se souciait de rien. Elle rayonnait, sans s'occuper du reste.

Les amis et témoins, une fois rassurés, avaient lié connaissance, se trouvant mutuellement charmants. Le sujet de conversation que leur offrait la cérémonie avait déroulé le tapis rose.

Il était temps de rejoindre l'auberge pour le repas et la soirée dansante. Anne et Paul avaient choisi simple. Un peu pour ne pas accuser encore les écarts, beaucoup parce que Paul tenait à régler lui-même la note. L'adresse était chaleureuse et rustique, parfaite pour la soixantaine de convives.

Tous les invités s'installèrent le long des deux grandes tables banquets, un peu surpris de voir les cocktails de bienvenue déjà servis, les dernières bulles mourant en surface. Chacun leva son verre tiède pour porter un toast à cette union, en prenant bien soin de ne pas évoquer les piètres auspices sous lesquels on la célébrait. Puis on attendit les plats. Longtemps.

Finalement, le patron dans sa blouse blanche de cuisinier, les yeux rougis et la mine renfrognée, apporta quelques assiettes d'entrées. Son jeune commis, mal à l'aise dans son pantalon à petits carreaux, distribuait lui aussi des assiettes. Quand il passa à proximité de Paul, celui-ci se pencha sur la table pour lui demander à voix basse :

— Qu'est-ce qui se passe ?

Le garçon se tortilla et jeta un œil derrière lui pour voir si le patron pouvait l'entendre.

— La patronne. Elle est partie ce matin. Elle l'a
quitté. Alors forcément, un banquet de mariage, ça
l'arrange pas... C'est du boulot. Et pis, enfin, tout
votre bonheur, là, ça le démoralise.

Paul et Anne échangèrent un regard désolé.

— Le pauvre...

— Ben, ouais, en plus, le problème c'est que les
plats refroidissent vu que c'est elle qui faisait le service.

— Mais... vous n'avez pas d'extra, quelqu'un qui
pourrait vous aider ? demanda Paul toujours *mezza
voce*.

— Ben, dans la région, un samedi au dernier
moment, je vois pas trop. Pis je crois pas qu'il soit en
état d'appeler...

Le commis regarda le client droit dans les yeux, il
en avait encore une à lâcher pour parfaire sa tâche :

— Et puis aussi, ça m'embête pour vous, votre fête,
tout ça, mais la patronne... elle est partie avec la sono.
Pour le faire chier.

Il secoua la tête, navré.

— Pour la soirée dansante, ça va être un problème.

Après une longue seconde de silence, Paul et Anne
sentirent les prémices d'un fou rire nerveux les gagner.
La journée commençait à devenir vraiment compliquée
et l'absurdité de la situation prenait le pas sur la compassion.

La voix sépulcrale du patron qu'on n'avait pas
entendu revenir s'éleva aux côtés de son apprenti qui
prit aussitôt la tangente.

— Vous inquiétez pas, on a topé, on a topé, je vais
vous le faire, votre banquet.

— Oui, oui… Je ne m'inquiète pas, bien sûr, concéda Paul, conciliant. Mais vous permettez qu'on vous donne un petit coup de main pour le service ?

— Si vous pensez que c'est nécessaire…

— Oui. Oui. Je pense.

Les témoins, les cousins, les cousines se relayèrent sans faillir toute la soirée pour assurer un service peu orthodoxe mais efficace. Les traces de doigts dans les assiettes ne furent pas comptées, les couverts ne reconnurent pas toujours leur gauche de leur droite, mais personne ne manqua de rien.

Denis avait fait cinquante bornes aller-retour en moto, on aurait une chaîne sur laquelle passer des CD. Assis tous deux au centre d'une table dont tout le monde se levait sans cesse pour aller chercher les plats, se levant eux-mêmes plus qu'à leur tour, Paul et Anne se tinrent la main quelques instants.

— Ça se passe bien, non ? demanda Paul.

— Merveilleux.

Elle planta son regard droit dans le sien, comme elle savait le faire pour le clouer au mur :

— Vraiment merveilleux.

La poitrine de Paul se bomba en fier zeppelin, il était heureux. À peine eut-il un pincement quand son père quitta l'auberge, sachant qu'il ne le reverrait jamais.

Quand, à 5 heures du matin, Paul rejoignit le patron toujours affligé pour régler la note convenue, celui-ci lui dit que Serge Rufus avait déjà tout payé.

Paul ne sut jamais si c'était pour se faire pardonner ou l'humilier une dernière fois. Il n'osa rien dire à Anne.

27

Assise devant *La Charmeuse de serpents* au musée d'Orsay, Capestan se demandait quelle malédiction planait donc sur le peuple français pour qu'à chaque fois qu'il se recueille devant une œuvre majeure, sombre et poétique du Douanier Rousseau, la Compagnie créole se mette à chanter dans sa tête : « Comme dans les, comme dans les, comme dans les tableaux… » Elle aimait bien, d'un autre côté.

En sortant de son entrevue avec Paul, la commissaire avait directement appelé Denis pour un rendez-vous. Depuis, elle patientait sur ce banc et se demandait pourquoi au juste elle n'avait rien révélé de la corruption de son beau-père. Pour épargner qui ?

Serge Rufus et les derniers vestiges de son image ? Paul et sa douleur incertaine d'orphelin ? Elle-même et son statut de messager ? Elle-même et sa dernière chance que son mari cherche à la rattraper ?

— Ouah !

Capestan sursauta quand les pattes du fauve saisirent ses épaules. Trop absorbée, elle n'avait pas entendu arriver Denis, serviette en papier autour du cou, maquillé de frais, prêt pour sa prochaine scène. Avec la quarantaine, son charme gouailleur s'était accentué, la rondeur des joues avait disparu pour laisser place à un caractère brut d'homme d'action. Taillé dans la masse, le cheveu ras et le nez busqué, Denis semblait toujours prêt à sauter sur un capot de voiture pour éviter une quelconque explosion. L'avantage des amis très célèbres, c'est qu'on pouvait suivre leur évolution en quatre par trois si d'aventure on les perdait de vue quelque temps. Du trio, il était celui qui avait réussi, le fer de lance dans cette comparaison qui les poursuivrait toute leur carrière.

Denis se pencha vers Capestan et tous deux se donnèrent un coup de front sur la tempe gauche, puis la tempe droite, une habitude qui leur était venue un jour où il se moquait d'un grand comédien qui embrassait dans le vide pour ne pas abîmer son brushing, ou un truc comme ça, ils n'étaient plus très sûrs de l'histoire, seule la tradition avait perduré.

— Comment tu vas, ma poulette ?

— Bien, et toi, mon canard ?

Denis écarta les bras, désignant la superproduction qui se mettait en place dans son dos et dont une fois encore il tenait la vedette. Un thriller qui se déroulait en partie à Orsay, ça reposait le Louvre.

— Tant que personne ne tape dans l'escabeau et que je reste au sommet, tout va bien. Les parents se portent bien, les amours sont nombreuses, les vacances pour bientôt, tout roule. Et toi, ces dernières années de recluse, elles prennent fin ? Tu es de retour aux mojitos ?

Le comédien sourit, les mojitos dataient de leurs jeunes années de fête, ils étaient loin et Denis le savait. Plus sérieusement, il s'enquit :

— Tu as revu Paul ?

— Oui. En fait, c'est pour ça que je viens.

Derrière eux, de grosses voix de directeurs photo et ingénieurs son beuglaient contre des stagiaires lumière et assistants perchistes, pendant que d'autres voix montées dans les aigus du stress criaient au planning, au budget, au silence.

— Son père, Serge, est mort. Assassiné.

— Oh mince.

Denis tourna le visage vers les tableaux sur sa droite. Plusieurs pensées semblaient traverser son esprit et Capestan n'était pas certaine de réussir à toutes les déchiffrer. La surprise n'en faisait pas partie. Il revint vers Anne.

— Tu sais par qui ? Et Paul, il va bien, comment il le prend ?

— Paul ne va pas trop mal. En revanche pour l'enquête, tu ne m'en voudras pas de demeurer évasive, fit Anne avec une moue d'excuse. Mais j'ai une question à te poser.

— Je t'écoute, fit Denis, mains sur les hanches, sourcils froncés.

— Quand vous êtes venus à Paris pour jouer dans ce café-théâtre, ça a coûté de l'argent, non ? Le logement, les frais... Vous étiez coproducteurs en plus.

— ... Oui, confirma-t-il, le regard fuyant.

— Qui a payé ?

Capestan espérait que Denis lui dirait la vérité. Ils avaient été très proches mais ne se voyaient plus depuis deux bonnes années. Et les questions d'argent comme de police poussaient aux cachotteries. Surtout chez les stars sujettes à la parano.

— OK. OK, se résigna l'acteur. C'est Serge. Il m'a fait jurer de ne rien dire, mais à l'époque il m'a confié une très grosse somme. En liquide.

— Combien ?

— Cinq cent mille francs…

— Ah quand même, siffla Capestan. Ça ne t'a pas étonné ?

Du bout de ses sneakers, il frotta une poussière sur le parquet brillant du musée.

— Si, un peu. Mais… enfin, tu vois le genre du bonhomme, je n'ai pas cherché à comprendre, j'ai pris.

— Il t'a dit d'où ça venait ?

Denis éclata d'un rire bref.

— Non, bien sûr. Il a dit que c'était pour lancer Paul. La première réflexion qui m'est venue, c'était : « Pour le lancer ou pour t'en débarrasser ? »

— Qu'est-ce qu'il a répondu ?

— Ah non, je ne l'ai pas prononcée à voix haute. Serge me foutait trop les jetons. Il n'y a que Paul qui lui répondait, comme pour se prouver qu'il avait du courage.

— De fait, il en avait.

— Oui, tu as raison.

Les informations financières correspondaient aux idées que la commissaire s'était forgées et pourtant elle ne parvenait pas à se défaire de l'impression que Denis ne disait pas tout. Cette sensation allait rester collée comme un Post-it dans un coin de sa tête.

En provenance du plateau, ils perçurent la voix du réalisateur qui crachotait dans un talkie : « Où elle s'est barrée encore, la star ? »

— Bon, on ne va pas tarder à m'appeler plus poliment. Faut que j'y retourne, fit Denis en recognant le front de Capestan.

Sur une console, il récupéra une réplique de Taurus Raging Bull qu'il agita avant d'ajouter :

— T'as vu, y a pas que les flics qui ont des gros revolvers…

Blague idiote pour conclure, malgré la nouvelle le vieux copain ne dérogeait pas aux rituels. La commissaire joua le jeu.

— Oui, sauf que si on te le chargeait vraiment avec du .44 Magnum, le recul te ferait bondir hors champ, mon canard…

— Ooooh, c'est bon. T'as gagné, celle-là est pour toi.

La vanne, oui, pensa Capestan. Mais la véracité des infos, c'était moins sûr.

Dax n'était pas sûr pour ce speed dating, mais le copain avait insisté. Il le parrainait. Fallait tenter avant que ça disparaisse, il disait.

Mal à l'aise dans cette grande brasserie privatisée pour l'occasion, le lieutenant, rasé de près et vêtu de son plus beau tee-shirt blanc sous son blouson en cuir, fut accueilli par une jolie jeune femme qui, elle, ne participait pas, mais lui expliqua le procédé. Un peu trop rapidement. Dax retint toutefois l'essentiel : il s'asseyait devant une fille, ils avaient sept minutes, ensuite la cloche sonnait et il passait à la table suivante, avec la fille suivante.

Il remit nerveusement en place la houppette sur le sommet de son crâne et s'installa face à « Doriane », comme l'annonçait le badge.

— Bonjour, je m'appelle Doriane, j'ai 32 ans, je suis consultante en téléphonie mobile, j'aime le sport, la couture et les romans d'heroic fantasy. Et toi, c'est quoi tes passions ?

Dax réfléchit avant de répondre une bêtise : il aimait son travail et l'informatique, il aimait bien se promener aussi, surtout dans la forêt, et les jeux vidéo bien sûr.

Observer les oiseaux. La boxe, évidemment. Est-ce que c'est ça que Doriane entendait par passion ? Il n'était pas sûr que...

La cloche sonna. Avant d'avoir pu répondre, Dax dut quitter Doriane.

28

Lancé sur sa ligne, le métro qui la ramenait du musée d'Orsay tressautait à son rythme quotidien. Assise sur le Graal des wagons, la place isolée, Capestan relisait *Saga*, un vieux poche corné de Benacquista. Dans le métro, elle ne réfléchissait jamais. Elle lisait ou se laissait happer par les secondes de vie partout autour, luttant contre elle-même pour ne pas dévisager les gens jusqu'à les deviner. À Palais-Royal, elle observa un colleur d'affiches en gros pull de laine marron qui œuvrait dans son souterrain de céramique. À mille marches de la lumière du jour, il encollait des mètres carrés de papier gris puis les déployait, rectangle par rectangle, dévoilant le bleu intense du Pacifique, le sable blanc, les palmiers, une femme heureuse dans son bikini. L'homme brossait l'image du bonheur sans s'émouvoir, avant de passer à la suivante et à la suivante encore.

Capestan émergea à Châtelet où un vent froid et sec lui rougit aussitôt les yeux comme le nez. Elle se fraya un chemin à travers la foule acheteuse de la rue de Rivoli pour gagner le calme relatif de la place Sainte-Opportune. Denis avait vu l'argent vingt ans plus tôt et forcément compris qu'il était sale. Capestan ne pouvait pas laisser Paul ignorer une donnée que son meilleur ami et elle-même connaissaient. Elle l'appellerait en arrivant.

Dans ce quartier, les pavés s'étoilaient en dizaines de ruelles, piétonnes pour la plupart. Paris s'agitait, grouillait, poussait des millions de gens à se croiser, se bousculer. Parmi ces gens, des meurtriers. Max Ramier avait-il quitté la capitale après l'épisode du Plaza ? La commissaire aurait parié que non. Mais où le chercher maintenant ?

Rosière avait sollicité la direction du palace et appris que Ramier avait réglé sa suite en liquide, plusieurs jours d'avance. Une bagatelle de 26 000 euros. Mais, contrairement à ce qu'il avait indiqué à l'administration, il n'y avait emménagé qu'un mois après sa sortie. Soit trois jours après la mort de Jacques Maire. Il avait à coup sûr récupéré des fonds sur chaque meurtre et, au-delà de la vengeance, la question pécuniaire devait bien guider ses actes. D'après le dossier, l'argent du braquage, vingt millions de francs tout frais imprimés plus le contenu des coffres, n'était jamais reparu. Restait-il encore une part à récupérer ? Ramier avait-il extorqué celle de Rufus ou celui-ci avait-il tout investi sur son fils ?

Si jamais la liste des meurtres était close, il y avait malgré tout des chances pour que Ramier ait quitté la ville, voire le pays. Il avait sûrement reconnu la BRI et ne s'attarderait pas.

La commissaire avait mis son équipe à temps plein sur la recherche du fugitif, pendant qu'elle se concentrait sur l'épineuse question Orsini. Il lui manquait une donnée et, pour l'obtenir, elle devait contacter Buron.

Capestan se mettait à la place du capitaine. Si un braqueur avait froidement abattu sa famille, elle l'aurait pourchassé jusqu'au fin fond de la pampa, au bout des bidonvilles, à la cime des plus hautes forêts, elle l'aurait rattrapé et pendu par les pieds comme un sac de sable. Puis elle se serait sans doute épuisée à le rouer de coups.

Orsini, lui, avait attendu des années. Attendu quoi ? Quelles infos cherchait-il avant d'agir ? Peut-être que l'identité des complices lui manquait et il avait patienté jusqu'à la libération de Ramier pour le pister. Les tests ADN sur les meurtres attestaient qu'on avait affaire à un même criminel dans les trois cas. Mais ils ne donnaient pas l'identité de ce tueur. Était-ce Orsini qui passait après que Ramier avait réclamé son argent ? Capestan avait recoupé l'emploi du temps du capitaine avec les dates des meurtres. Pas une seule fois il ne s'était trouvé dans le commissariat. Cependant le sang de vengeresse qui irriguait les veines d'Anne ne coulait pas forcément chez le minéral Orsini. Peut-être les cherchait-il pour les arrêter. Et peut-être que Ramier, en les abattant, lui avait coupé l'herbe sous le pied.

La commissaire avait ressorti le dossier RH du capitaine. Son entrée dans la police était bel et bien postérieure au braquage. C'était sans aucun doute ce qui avait motivé sa reconversion : en savoir plus. Avait-il à l'époque des soupçons concernant Serge Rufus, qu'il aurait voulu dès lors surveiller ?

Si cette quête avait présidé à toutes les décisions d'Orsini dans la police, on pouvait aussi s'interroger sur les raisons de son affectation à la brigade des Innocents.

Capestan cala son oreillette et fit défiler son répertoire jusqu'au numéro de Buron.

— Bonjour Capestan. Vous m'appelez pour m'expliquer la facture que vient de recevoir la Police judiciaire pour un abonnement à *World of Warcraft* ?

— Non, mais si vous éprouvez le besoin d'en parler, je veux bien vous écouter, monsieur le directeur. Après j'aurai une question.

Buron sentit la préoccupation véritable et abandonna son ton de surveillant général.

— Je vous écoute.

Capestan fit brièvement tourner le micro entre son pouce et son index. Il n'y avait pas tellement de façons de poser cette question.

— Comment Orsini a-t-il atterri dans notre brigade ? Qui l'a envoyé ?

— Lui-même, pourquoi ?

— Il a réclamé sa mutation dans le pire service de toute la police ? Il s'est mis volontairement au ban et vous ne m'avez rien dit ?

— Honnêtement, ses collègues le détestaient partout où il passait, j'ai pensé qu'il fuyait un harcèlement quelconque. Pourquoi, que se passe-t-il encore avec Orsini ?

— Rien de nouveau, mais j'ai croisé un journaliste très curieux. Je m'interroge.

La commissaire pouvait presque distinguer le tapotement des doigts sur le sous-main en maroquin du directeur.

— Vous me mentez mieux d'habitude, Capestan.

— Oui, mais en ce moment, je n'ai pas le temps de fignoler, monsieur le divisionnaire, je suis désolée. Néanmoins vous savez qu'un jour, la vérité vous échoira, prête à être enterrée, n'est-ce pas.

— J'y compte bien, commissaire, j'y compte bien.

Capestan arrivait au pied de l'immeuble où nidifiait leur commissariat. Ainsi Orsini avait réclamé sa mutation. Son statut de belle-fille de Rufus ne pouvait pas y être étranger.

Orsini était venu pour elle.

Il l'observait, la jaugeait, la jugeait, peut-être même la soupçonnait.

En frottant la semelle de ses bottines contre le paillasson, Capestan ne savait toujours pas quoi faire de cet encombrant capitaine. Il menait une bataille qu'elle comprenait, mais d'une façon qui nuisait à la brigade.

Elle ouvrit la porte, pile au moment où une partie de l'équipe se précipitait pour la franchir. Saint-Lô, Rosière, Lebreton, Évrard, Merlot, Lewitz lui prirent les épaules pour opérer un savant demi-tour de commissaire. Torrez suivait.

— On l'a localisé !

— Qui, où ?

— Ramier, au Lutetia.

— Il a repris une suite dans un hôtel de luxe ? À son nom ?

— Non, répondit Rosière en appuyant comme un marteau-piqueur sur le bouton d'appel de l'ascenseur. Au nom qu'il porte dans le manuscrit de Velowski. J'ai pensé que c'était peut-être un pseudo régulier et j'ai demandé à Dax de lancer des recherches. Cette info, on est les seuls à la détenir...

Lors de la réunion, les instructions de Buron, claires sur la forme, accordaient une certaine marge de manœuvre sur le fond. C'est du moins l'interprétation que Capestan choisit de sélectionner dans l'urgence. Si avec les centaines de caméras de surveillance de la capitale à leur disposition, les GPS et autres outils de géolocalisation, la BRI de Frost n'avait pas dégoté cette adresse, ce n'était pas aux amateurs de la leur porter en offrande.

Évidemment, avec ce genre de logique revancharde, la brigade n'avait pas le droit de se planter.

— En route. Cette fois, interdit de le rater.

— Comme si c'était fait ! pavoisa Dax.

— Ahhh, faut jamais dire ça ! geignit Torrez.

29

— Je ne peux plus vous accompagner maintenant.

— Mais si, José, viens.

— Non, ça va mal se passer. Trop de présages.

— Il n'y a aucun présage, juste une phrase un peu enthousiaste de Dax, rien d'anormal. Viens. C'est un ordre.

Le front plus ridé qu'un dogue qu'on tire pour amener au bain, Torrez secoua la tête. Puis entra dans la 306 en claquant la portière. Comme pour signifier qu'on l'avait voulu et qu'on verrait bien.

Le mythique paquebot de la rue de Sèvres avait aujourd'hui les balcons élimés et couverts de filets anti-chute, telles des bandelettes sur la dernière rhino-plastie d'une diva.

En se garant devant l'entrée de l'hôtel, Capestan et Torrez aperçurent Lebreton et Saint-Lô qui grimpaient les marches quatre à quatre – Évrard était restée à l'accueil. Rosière, Pilote, Dax et Lewitz sortaient de la Porsche, pour laquelle le brigadier, craignant sans doute les peu méticuleux crochets de la fourrière, avait cherché une place de stationnement véritable, au pied de l'échafaudage qui grimpait le long du flanc ouest du palace. Tous les quatre s'avancèrent. Lewitz fermait la marche, la chamoisine encore en main après avoir effacé leurs empreintes.

Un mouvement en hauteur capta soudain l'attention de Capestan qui leva la tête. Tous l'imitèrent. Un homme avait enjambé une fenêtre et descendait le long de l'échafaudage. Max Ramier.

Dans sa précipitation, le fugitif glissa sur l'aluminium humide d'une passerelle, buta contre la façade et se rattrapa in extremis, arrachant définitivement un bloc de pierre blanche qui, de rebondissements en cahots, entama une longue chute. Ramier dégringola à sa suite. Sa main cherchait une nouvelle prise et happa un garde-corps, ce qui lui permit de rétablir son équilibre.

Premier à réaliser, Lewitz fusa le long du boulevard Raspail. Avec un tel départ, le brigadier allait sans doute cueillir Ramier avant même que celui-ci ne touche le trottoir. Il sprinta quelques mètres et s'élança en un long saut, étirant sa longue carcasse jusqu'au bout de ses possibilités. Il atterrit sur le capot de la Porsche et s'allongea juste à temps pour réceptionner le bloc de pierre qui brisa son tibia. Le bruit sourd de la fracture parvint jusqu'aux oreilles de la brigade qui, instinctivement, se tourna une demi-seconde vers Torrez, avant de réagir. Le lieutenant accablé baissa la tête et recula d'un pas.

Capestan lui posa brièvement la main sur l'épaule, avant de courir au secours de Lewitz, suivie de ses collègues. Le brigadier hurlait de douleur, sa jambe accusant un angle contre nature. Les policiers se passaient les uns devant les autres pour évaluer les dégâts et contacter le Samu. Lewitz avait couru à la rescousse d'une voiture. L'instant de confusion suffit à Max Ramier pour passer entre les mailles et filer sur le boulevard. Capestan se lança à sa poursuite, aussitôt ralliée par Lebreton et Saint-Lô qui avaient eux aussi dévalé l'échafaudage.

Ramier libérait sa course sans complexe sur le vaste trottoir, il suivait une ligne droite, sans chercher à négocier une échappée dans les rues environnantes. Il semblait capable de rejoindre Lyon sur le même axe, dans la même foulée. Les longues enjambées de Lebreton et la force vive de Saint-Lô ne se laissaient pas distancer d'un seul mètre, Capestan suivait mais puisait plus profondément dans ses réserves pour y parvenir. Alors que le carrefour avec la rue de Rennes, artère énergique, laissait surgir voitures et piétons en tous sens, Ramier coupa au plus court, comme seul au monde. Les crissements de pneus et hurlements de klaxons firent écho aux invectives des passants horrifiés. Les policiers suivirent, bras levés en geste d'excuse. Ramier venait de gagner une vingtaine de mètres. Sans varier d'un pouce dans sa méthode de kamikaze, il traversa dans le même élan la rue de Vaugirard, puis obliqua brusquement à gauche, rue de Fleurus.

Pendant six longues secondes, ils ne l'eurent plus dans leur ligne de mire. Le plan du quartier ouvrait des fenêtres en pagaille dans l'esprit de Capestan, six secondes cela suffisait pour prendre à gauche rue Jean-Bart, ou poursuivre jusqu'à la rue Madame et s'évanouir dans une cour au hasard. Un camion de déménagement, bien que correctement stationné, bouchait toute visibilité de sa hauteur. Les policiers durent opter pour un droit devant par défaut. Leur instinct fut récompensé lorsqu'ils aperçurent la silhouette de Ramier qui traversait la rue Guynemer et passait les grilles noires à flèches d'or du jardin du Luxembourg.

Galvanisés par les retrouvailles après ces longs mètres d'incertitude, Lebreton et Saint-Lô déboulèrent à pleine vitesse dans le jardin. Quelques foulées en retrait, Capestan se demanda soudain si l'homme était armé. Une sueur glacée parcourut sa nuque. Ramier était dangereux, sans aucun scrupule et, on le savait hélas, tout à fait capable de tirer sur un enfant. Le parc en était bondé.

Tout en forçant son regard pour tenter d'évaluer les contours des vêtements, la liberté ou la lourdeur des mouvements du fugitif, Capestan envisagea de renoncer à la poursuite. Mais Lebreton et Saint-Lô, eux, talonnaient pratiquement l'homme à présent et trouvaient là un second souffle. Ramier bifurqua dans une mince allée, fermée sur sa droite par le grillage du square des balançoires. Avant que les policiers ne puissent le suivre, la marche des poneys rejoignant leur piquet leur barra le passage.

Même non montés, ils avançaient lentement, au pas, par habitude. Leur file interminable empêchait tout contournement.

Ramier ne serait bientôt plus qu'un point au fond du jardin.

Lebreton et Capestan expirèrent brutalement l'air de leurs poumons en feu, prêts à abdiquer. Mais Saint-Lô, toujours alerte, se précipita sur le conducteur de l'attelage et lui arracha la longe sans une explication. Puis, profitant de son physique de jockey, il bondit sur la selle du premier poney et l'éperonna en rugissant. Surprise, la bête eut un sursaut et partit droit devant comme une furie. Encordés, les autres n'eurent d'autre choix que de le suivre.

Remis de sa frayeur par une caresse bourrue sur son encolure, le poney, emporté par son élan et sa joie de courir enfin, avalait la distance qui les séparait de Ramier. D'une voix de stentor, Saint-Lô encourageait sa jeune monture. Les suivants, en chapelet, cavalaient dans son sillage et traversaient à toute vitesse le parc, tel un rang de saucisses devenu fou. Le train des sabots frappant la piste soulevait la poussière dans un vacarme d'apocalypse. Effrayés, les touristes s'écartaient en hurlant. Les passants sautaient dans les haies ou sur les bancs, les ados rabattaient leurs campements et leurs clopes avec une énergie qu'on n'aurait pas soupçonnée, puis sortaient les smartphones pour filmer.

Cette autonomie soudaine inspirait les équidés qui commençaient à tirer de tous côtés, ralentissant la course du vaillant poney de tête. Saint-Lô, admirable de souplesse dans ce cahotique galop, tourna rapidement la tête pour évaluer cette suite indisciplinée. D'un geste quasi automatique de la main droite, il releva sa jambe de pantalon et dégaina le poignard qu'il tenait au-dessus de sa cheville. D'un seul coup sec, il trancha la longe qui séparait son poney du reste de l'attelage.

Libérée du poids du groupe, sa monture se sentit pousser des ailes. Comme électrisé, le Pégase miniature accéléra subitement, la crinière dansante, ses courtes pattes martelant les allées sablonneuses à la poursuite de Ramier. Dès lors, les autres poneys, eux,

s'égaillèrent dans le jardin à la recherche de grigno-
tages ou de distractions, à l'exception du plus gris qui
regagna sagement son poteau, sans doute trop âgé pour
ces bêtises.

Max Ramier se retourna furtivement et, même de
loin, on put lire l'étonnement sur ses traits fatigués.
Mais l'homme était malin, doublant le Sénat il gravit
les marches et fonça dans la rue de Médicis et la circulation. C'était fini.

Saint-Lô tira doucement sur la bride et flatta le flanc
de son poney pour l'inviter à ralentir. La bête y consentit à regret. Saint-Lô sauta à terre et après avoir gratté
la crinière entre les deux oreilles, tenant toujours la
cordelette, il se dirigea vers un bout de carton qui
achevait de voleter au bas de l'escalier.

Il était tombé de la poche de Ramier au moment où
il avait buté contre la première marche.

Admirative, Capestan s'adressa à Lebreton :

— Ce devait être l'un des meilleurs cavaliers de la
compagnie.

30

Malgré l'initiative spectaculaire de Saint-Lô, Ramier leur avait échappé une nouvelle fois. La brigade était rentrée piteuse en ses pénates, priant pour que ni la BRI ni quiconque n'ait vent de cet échec retentissant et marqué du sceau infamant de l'individualisme. Ils avaient préféré agir seuls, le constat d'incompétence était sans appel. S'il l'apprenait, le 36 leur broderait encore des blasons honteux bien après l'âge de la retraite.

Restait ce petit bout de carton, arraché autant à l'effort qu'au hasard. Six chiffres tracés au stylo-bille bleu occupaient toute sa longueur. Six chiffres sans nom, sans adresse, sans indication, leur seul trésor de guerre. Orsini s'en était emparé fiévreusement avant de s'enfermer dans son bureau. Ses collègues le lui avaient abandonné sans broncher. Tandis que Saint-Lô, Merlot, Lebreton et Rosière s'étaient installés silencieusement sur les tabourets de bar de la salle de billard pour boire le verre de la défaite, Évrard et Dax étaient partis à l'hôpital pour soutenir un Lewitz déjà bien entouré par sa famille. Torrez avait depuis longtemps retrouvé ses foyers.

Capestan avait gagné la terrasse pour appeler Paul et l'éclairer sur le rôle peu glorieux de Serge Rufus lors du braquage. Elle l'avait également informé de la destination de l'argent, de son rôle dans la production de l'époque. Au bout du fil, sur la question du hold-up, Paul avait paru plus résigné qu'étonné. En revanche, ce geste de mécénat, de la part d'un père aussi peu aimant de son fils que rétif aux métiers indignes du spectacle, l'avait laissé désemparé. La nouvelle aurait besoin d'être distillée plusieurs fois avant de trouver son juste flacon, bien rebouché, bien rangé.

Alors qu'elle ôtait déjà une de ses oreillettes et effleurait de l'index le point rouge du téléphone, Capestan avait distinctement perçu, en réponse à son propre « À bientôt », le point d'interrogation et l'espoir ponctuant le « À bientôt ? » retour. Alors qu'elle aurait voulu répondre au moins d'un silence, d'une attente, elle aperçut son écran éteint. Elle avait raccroché.

Elle soupira. Et ce soupir, par la lassitude même qu'il expira, lui rappela un second devoir. Elle cliqua sur le nom de Buron.

— Monsieur le divisionnaire…

— Oui Capestan, j'attendais votre appel. Les poneys, au Luxembourg, c'était votre brigade n'est-ce pas ? Ramier vous a encore échappé ?

Aucune trace de dureté ou même d'ironie ne transparaissait dans le ton du directeur.

— Oui. Je suis désolée, je…

— Cet homme est une anguille, mais vous l'avez retrouvé deux fois, Capestan. C'est deux fois mieux que les autres. Vous le trouverez une troisième. Je vous fais confiance. Passez de bonnes fêtes, l'enquête vous rattrapera bien assez vite.

Même s'il ne laissait pas passer grand-chose, Buron n'était pas homme à appuyer sur la tête des noyés.

— Merci monsieur le directeur. Merci pour tout. Bonnes fêtes à vous.

— Oh moi, les fêtes…, fit le divisionnaire avant de raccrocher.

Anne traversa le grand salon vidé de sa brigade, dans lequel seul le sapin clignotait. Première lampe qu'allumait Rosière en entrant, dernière débranchée en partant. Elle rejoignit la salle de billard, ses quatre collègues et leur verre consolateur.

Demain, pour le 24 décembre, la commissaire avait décrété la relâche. Une trêve bienvenue pour effacer l'ardoise et repartir sur de nouvelles recherches.

31

24 décembre 2012

10 heures. Capitaine Orsini.

Depuis près de vingt ans maintenant, Orsini détestait la période des fêtes et plus particulièrement le réveillon de Noël. Il détestait aussi la rentrée scolaire, la fête des Mères, la fête des Pères, les anniversaires, la plage, les luges, les squares, le marché, Disney, les ballons, son existence asséchée et ses délires de rancune. Orsini n'était plus qu'un costume vide qui se cramponnait à une quête dont l'objectif même ne l'intéressait plus. Mais c'était ça ou rien.

En ce 24 décembre, une des centaines de balises de cette quête avait le bon goût de le distraire de l'esprit de joie qui régnait partout dehors. L'indice reposait sur son bureau, cinq centimètres de carton, ramassés par Saint-Lô.

947091. Une énigme. Avec toute une journée et toute une nuit pour la résoudre.

11 heures. Brigadier Lewitz.

Sa jambe le lançait, son plâtre le grattait et Lewitz

s'inquiétait pour la Porsche qu'il avait sauvée de la défiguration, d'accord, mais qu'il ne pourrait plus conduire avant un moment. Il redoutait que Rosière ne la rende au loueur. Installé dans son canapé, le pied posé sur la table basse, il attendait sa fiancée et sa belle-famille, qui avaient tenu à tout prix à déménager le réveillon dans son salon, maintenant qu'il ne pouvait plus bouger.

— T'inquiète, on a tout préparé, on amène l'apéritif, le dîner, la vaisselle, les chaises pliantes, tout.

N'empêche, pour une première présentation aux parents, Lewitz aurait préféré paraître plus à son avantage. Au volant de la Porsche par exemple. Heureusement, son deux-pièces resplendissait. Il avait téléphoné à la gardienne de son immeuble en la suppliant de lui indiquer quelqu'un qui pourrait venir faire le ménage chez lui, un 24 décembre, son prix serait le sien. Puis il avait pris son plus beau costume – le bleu nuit moiré – et ses longs ciseaux de cuisine. Il avait découpé la jambe gauche dans le sens de la longueur pour faire passer son plâtre. Rasé, coiffé, il était beau comme un camion auquel il manque une jante.

Midi. Lieutenant Diament.

Entre ses mains immenses, le quotidien faisait figure de livre de poche. C'était page 30, un entrefilet. Dans le Nord, un gardien de la paix s'était donné la mort sur son lieu de travail. Encore un collègue qui avait mangé son flingue. Bientôt, on ne pourrait plus les compter.

— Basile, fit le lieutenant Zahoui en passant une tête dans le bureau. J'ai regardé le tableau, t'es aussi d'astreinte demain, le 31 et le 1er. Désolé. Et… je ne suis pas censé te le dire, mais dès lundi, tu seras détaché sur le maintien de l'ordre.

— Ça va durer encore longtemps, tu crois ?

Zahoui secoua tristement la tête.

— Bien sûr, mon pote. Tu t'attendais pas à une bouderie ? Tu l'as critiqué devant des étrangers au service. Il est pas fin, le patron. Et il est rancunier en plus.

Le 9 novembre, pour célébrer le centenaire de la Police judiciaire, une grande exposition avait ouvert ses portes sur le Champ-de-Mars. Le cœur débordant d'un légitime orgueil, Basile Diament avait invité sa maman à la visiter. Une des vidéos sur écran géant de l'expo était consacrée à l'unité de Diament, le groupe Varappe, et Basile se délectait à l'avance de l'expression de fierté maternelle. Avant de s'installer pour le visionnage, ils étaient passés par la section de l'exposition consacrée aux différents services de la Judiciaire : l'état-major, la brigade des mineurs, les Stups, la Financière… Ils étaient tous à l'honneur dont, bien entendu, la fameuse BRI. Un document récapitulait leurs principales missions, puis des photos de différents bureaux donnaient à voir l'ambiance des lieux. Sur l'un de ces clichés, au milieu des cendriers défiant la loi Evin, trônait un portrait dédicacé et encadré de l'ancien leader du Front national.

Comme piquée par une guêpe, la maman de Basile avait reculé. Puis elle avait tourné vers son fils un regard plein de compassion et lui avait doucement caressé la joue. Une lame d'humiliation avait emporté Basile et noyé sur son passage toutes les vidéos, tous les écrans géants qu'il pourrait jamais montrer. Il n'était pas venu pour se faire plaindre, il n'était pas venu montrer les affronts qu'on lui faisait.

Lorsque le lendemain, au cours de l'inauguration, le divisionnaire Buron, directeur de la Police judiciaire, le préfet et quelques huiles lui avaient demandé son avis, le regard bien droit, au garde-à-vous et débit saccadé, le lieutenant Basile Diament avait exprimé son regret de voir photographiés des signes d'appartenance politique, qui n'avaient pas lieu d'être sur un tel centenaire et reflétaient l'opinion d'un individu et non d'une brigade.

Diament n'ignorait pas qu'il s'agissait du bureau de Frost.

Deux mois plus tard, il payait encore.

13 heures. Lieutenant Évrard.

Sur le marché du boulevard Richard-Lenoir, des papillottes de papier blanc ornaient les cuisses des volailles et les saumons fumés s'étalaient paresseusement sur leurs cartons dorés. Bouchées à la reine, petits-fours salés, bûches au chocolat et derniers sapins tenaient le haut du pavé. Ils disparaîtraient bientôt, carottes râpées et taboulés reprendraient leurs droits. Évrard tira sur le lourd caddie à toile écossaise chargé de légumes et suivit ses parents dans la rue du Chemin-Vert. À l'angle, un vendeur retournait ses châtaignes grillées sur le brasero et l'odeur sucrée réchauffait l'air alentour. Alors que ses parents passaient devant une agence immobilière, ils ralentirent imperceptiblement le pas. Évrard glissa un œil de côté, tentant d'étudier au passage les offres de location. L'une d'elles proposait un studio pas trop loin, pas trop cher, et Évrard ne put s'empêcher de marquer un temps. Son père s'arrêta au milieu du trottoir.

— Tu veux qu'on aille voir avec toi ?

Elle n'avait pas joué un centime depuis plus de six mois. La brigade, les amis avaient assuré sa routine. Il restait quelques dettes bien sûr, mais le salaire tombait, régulier. Évrard avait envie d'y croire. La baraka était de retour. Elle se tourna vers son père et hocha la tête.

— Oui. Je veux bien.

14 heures. Lieutenant Torrez.

José Torrez passa sous les cordes et monta sur le ring, fer à la main. Une panière de linge froissé l'attendait à droite de la table à repasser qui lui avait été attribuée. En face, son challenger, un solide papi, lui jeta un œil de pur défi. Entre les deux tables, l'arbitre-animateur à dents blanches tripotait ses fiches cartonnées. En ce jour particulier, pour marquer le coup, il avait coiffé un bonnet rouge à pompon blanc et étoiles clignotantes.

Quand les deux adversaires furent en place, la BO du film *Rocky* retentit dans la salle pleine et l'arbitre saisit son micro pour annoncer d'une voix enthousiaste : « Mesdames et messieurs, pour la Finale France du Fer d'Or Philips 2012, j'ai l'honneur de vous présenter à ma droite José Torrez qui nous vient de Paris, cinq chemises en dix minutes ! On l'applaudit très fort ! À ma gauche, François Sarton, de Mulhouse, neuf chemises en dix minutes ! J'ai bien dit neuf ! On l'applaudit très fort aussi ! Le vainqueur de cette dernière épreuve aura l'extrême privilège de représenter la France pour la Grande Finale qui se déroulera cette année encore à Hawaii. Merci de leur faire un triomphe ! »

Au cœur des cris et des applaudissements, Torrez distingua nettement les voix de ses enfants : « Ouais ! Vas-y papa ! Éclate-le ! »

15 heures. Commandant Lebreton.

Lebreton contemplait le coffre de la Lexus, plein jusqu'à la gueule. Rosière et lui partaient pour Sceaux, en banlieue parisienne, chez la sœur du commandant.

— Eva, tu… C'est trop.

— Oui, mais…

— Je sais. Mais c'est trop, tu vas les mettre mal à l'aise. Nous, on se fait de tout petits présents, c'est surtout symbolique. Et puis… Enfin, à 11 heures maxi ce sera plié, tu sais.

— D'accord, d'accord, abdiqua Rosière. Fais ton tri, Grand Chambellan.

Louis-Baptiste sortit les paquets qui s'élevaient en monceaux jusqu'à la plage arrière de la berline. Il lisait les étiquettes et ne conservait qu'un cadeau par personne, déposant le surplus sur les marches de la maison de Rosière. La truffe de Pilou suivait le trajet de chaque paquet, comme pour vérifier que le commandant n'ôtait pas le pâté.

La famille de Lebreton était plutôt sobre dans ses libations. On frôlait même l'ascétisme. Par son tempérament, Eva allait déjà suffisamment détonner pour ne pas en rajouter avec ses élans de compensation et sa gratitude expansive. Vis-à-vis de sa famille, Lebreton se moquait bien que Rosière choque en quoi que ce soit. Mais il était heureux d'avoir Eva à ses côtés ce soir,

Eva dont le verbe explosif constituait une diversion de chaque instant à toutes les douleurs, et il ne voulait surtout pas qu'elle se sente mal à l'aise ou fasse l'objet d'une remarque qui pourrait la blesser. C'était son amie, il était le garant de son bien-être pour la soirée.

Le sourcil narquois hissé haut au-dessus de l'œil vert, elle le regardait écoper cadeaux et champagne, caviar et saumon. Quand Lebreton eut fini et referma le hayon, elle fit tourner ses clés de voiture en balançant :

— M'en fous, t'as gardé les plus petits, c'est les plus chers.

15 h 05. Capitaine Rosière.

Rosière avait regardé Louis-Baptiste qui multipliait les allers-retours comme on contemple une œuvre d'art : avec admiration, respect, émotion, attachement. C'était son ami, son copain, le meilleur et le plus délicat qu'elle ait jamais eu. Le tout emballé dans un putain de physique de golden boy. Et le saint Sauveur de son réveillon.

Avisant les jolis paquets rejetés qui s'empilaient devant sa porte, Rosière regretta néanmoins qu'ils restent ainsi, orphelins de leurs destinataires. Elle attrapa un feutre dans la poche intérieure de son sac, saisit le premier cadeau et, le capuchon entre les dents, elle ânnona à l'intention de Lebreton :

— On va faire un petit détour avant d'y aller.

16 heures. Lieutenant Dax.

Les bras chargés des derniers paquets, Dax se dépêchait et slalomait entre les passants. Il ne voulait pas arriver en retard. C'était l'année des belles-familles. Ses frères et sœurs étaient tous avec leurs conjoints, leurs enfants, dans d'autres maisons, dans d'autres foyers. Dax serait encore le seul fils chez sa mère cette année.

Il ne voulait pas la faire attendre, c'était sûrement déjà prêt et elle aurait cuisiné pour nourrir même les absents. Dax avait mis une belle veste, mais il avait choisi son pantalon mou, large à la ceinture. Ce soir, il était là pour tous les autres.

17 heures. Capitaine Saint-Lô.

Saint-Lô avait rempli un petit verre à liqueur d'une prune qu'il réservait d'ordinaire à des horaires plus tardifs. Assis sur son canapé-lit, il contemplait avec aigreur sa cheminée murée.

Ainsi, c'était ça désormais. Des cheminées murées, des plafonds coffrés, tous panaches éteints, toutes hauteurs limitées. Plus aucun passage pour l'ailleurs. Une vie plus petite encore que son corps.

En ce réveillon de Noël, pour l'anniversaire du Christ même, on achetait son sapin coincé dans un pot. La messe de minuit se célébrait à 18 heures. On enrubannait des milliers de paquets sans allumer la moindre flambée.

Saint-Lô voulait des bûches et du feu.

Au commissariat, il y avait une cheminée, une vraie. Saint-Lô vida son petit verre d'un trait et le posa sur la console à côté de l'accoudoir d'un geste décidé.

Il se leva, enfila son long manteau, ses bottes et coiffa son chapeau. Puis il sortit.

18 heures. Capitaine Merlot.

L'heure de l'apéro. Seul, c'était triste. Un rat, c'était pas vraiment de la compagnie. De l'index, Merlot caressa le poil dru entre les deux oreilles. Il hésitait. Finalement il s'extirpa du fauteuil dans lequel il regardait sa télé éteinte et fouilla ses tiroirs à la recherche de quelques babioles. Il les emballa ensuite dans les vieux papiers cadeau qu'il recyclait. Fallait les conserver, ainsi on en avait toujours de la bonne taille.

Il glissa les petits paquets froissés dans les poches de sa veste et de son manteau. Ensuite, le rat sur les talons, il sortit dans la rue et passa à l'épicerie du bas pour acheter une bouteille de mousseux.

Il attendait maintenant à l'arrêt du bus qui conduisait au commissariat. Ainsi, si par hasard quelqu'un y traînait, il serait paré pour la fête.

19 heures. Commissaire divisionnaire Buron, directeur de la Police judiciaire.

Le divisionnaire vérifia son nœud papillon une dernière fois dans le miroir du vaste vestibule en attendant son épouse qui passait son étole de fourrure. Les enfants ne viendraient que pour la journée du lendemain, le 25. Ce soir, tous deux dînaient chez des amis. Un souper à six, sous de hauts lambris et de beaux lustres. Encore une de ces soirées où Buron allait s'emmerder sans réserve.

23 heures. Commissaire Anne Capestan.

Anne, assise à table entre deux de ses neveux et nièces, félicitait le beau-frère qui lui faisait face pour sa belle cravate, absolument pas assortie, qu'il parvenait à retrouver chaque année à la même date pour être sûr de l'avoir sur les photos. Son beau-frère lui répondait que si elle ne voulait pas de vin, elle n'avait qu'à le dire, c'était plus simple.

Elle l'entendait mal, parce que le concert de rires de ses sœurs atteignait des sommets de décibels. Cela ne décourageait pas sa mère qui criait par-dessus pour réclamer de l'aide, l'écrasé de pommes de terre aux truffes refroidissait et personne ne faisait passer ni les plats ni la sauce, surtout pas son mari qui expliquait au plus jeune de ses petits-enfants comment on distinguait une œuvre impressionniste d'un tableau pointilliste. Le petit-enfant en question n'écoutait bien sûr pas un traître mot et attendait que papi ait fini pour reprendre sa mise à niveau *Minecraft* avec son cousin.

Anne déposa le plat de purée vide sur le plan de travail déjà encombré de vaisselle sale. Sa cuisine connaissait en une seule soirée plus d'animation que sur les deux années écoulées. Machinalement, parce que ses pas l'y conduisaient toujours, Capestan se posta devant sa fenêtre et observa la rue de la Verrerie en contrebas.

Sur le trottoir d'en face, devant un traiteur vietnamien qui serait bien étonné le lendemain, trois mots tracés en hautes lettres à la peinture blanche : « ANNE, TOUJOURS PAREIL ». Le sourire qui éclata sur le visage de Capestan fut bien aussi large que celui de ses vingt ans.

Quand les premiers flocons tombèrent, ils ne purent recouvrir tout à fait le message.

23 h 05. Paul Rufus.

Le smartphone semblait occuper tout le comptoir de la cuisine. Assis sur un tabouret de bar, Paul, une goutte de peinture blanche encore accrochée aux poils blonds de ses avant-bras, veillait sur l'appareil. La vigilance mobilisait chacune de ses cellules. Il ne se rappelait pas avoir bu, mangé, marché jusque-là. Il n'y avait rien autour qu'un écran noir, petit rectangle de plasma qui s'allumerait peut-être ce soir.

Ce n'était pas la période la plus indiquée, mais Paul se moquait des circonstances et de toutes choses. De tout sauf d'Anne.

La sonnerie, additionnée du vibreur, était réglée au maximum et Paul sursauta quand elle retentit. Il fixa le prénom d'Anne qui s'était affiché. Une profonde vague de soulagement le tassa sur son tabouret. Il se redressa pour appuyer sur l'icône du téléphone vert.

À la douceur du « Allô », il sut qu'enfin, ils étaient rentrés à la maison.

23 h 30. Le commissariat, rue des Innocents.

« Vous avez intérêt à nous attendre pour les ouvrir. » Au pied du sapin, devant les paquets, le message sur la feuille A4 pliée en deux était très clair. Saint-Lô et Merlot avaient piaffé toute la soirée, même Orsini était venu tourner deux ou trois fois. Par esprit de fête et de solidarité, Merlot avait envoyé des textos aux collègues absents. Dax qui, tout comme Évrard, avait fini tôt, était passé chercher cette dernière. Ils étaient arrivés en riant, cheveux et épaules parsemés de flocons brillants. Avec une ponctualité tenant de la magie, la neige avait décidé d'honorer son contrat tacite et de blanchir la nuit de Noël. Il serait toujours temps demain de songer à la gadoue, pour l'heure la grâce immaculée couvrait les gris, feutrait les bruits et reflétait l'orangé des réverbères comme les néons des sex-shops. Lebreton, Rosière et Pilote débarquèrent enfin dans un « Ahhh ! » collectif et le plop distinctif d'un bouchon sauteur. Cette fois, on pouvait se lancer, ça déchirait des papiers et coupait des bolducs dans tous les coins. Le vilain mousseux et les grands champagnes coulaient indifféremment dans les mêmes gosiers. Le parfum du sapin, mêlé à celui des clémentines et des chocolats, réchauffait encore l'atmosphère.

On s'échangeait les cadeaux, ceux de Rosière, ceux de Merlot, ceux d'Évrard et Dax passés par une épicerie de nuit. Des ceintures Hermès contre des cendriers de Marseillan Plage, des *tote bags* de chez Colette en échange de décapsuleurs en inox, et tous les récipiendaires s'esbaudissaient, braillaient d'enthousiasme et rigolaient sans retenue.

Saint-Lô lissa sa moustache des deux mains avant de taquiner Merlot.

— Mon ami, pour boucler telle ceinture sur ta panse, il manque bien quatre-vingts centimètres.

— Ou huit trous si c'est pour la tienne, camarade ! répliqua le capitaine avec une claque dans le dos qui fit décoller le mousquetaire.

Décachetant l'un des paquets apportés par Merlot, Rosière trouva ce qui ressemblait fort à un caillou. Perplexe, elle le vrilla sur toutes ses facettes avant de demander :

— Mais qu'est-ce que c'est, en fait ?

— Attention, c'est très précieux, fit Merlot en hissant un index sentencieux, c'est un bout du mur de Berlin.

— T'es allé à Berlin ? s'épata Dax.

— Oui, en 1960, en compagnie de mes chers et défunts géniteurs.

— Tu veux dire que c'est un morceau du mur de Berlin d'avant la construction du mur ? s'assura Rosière, les lèvres tremblant déjà nerveusement.

Orsini éclata de rire. Le bruit le surprit lui-même et il se retourna comme pour vérifier sa provenance. Puis, recouvrant son sérieux, il répondit à Rosière :

— Non, Eva, en fait c'est un bout de mur *à* Berlin.

— Vous ne respectez rien, fit Merlot en vidant cul sec sa coupe de Dom Pérignon.

Saint-Lô se sentait gêné de tant recevoir sans donner en retour. Aussi, alors que l'excitation s'apaisait pour entrer dans sa joie de croisière, il profita d'une seconde de silence pour offrir tout ce qu'il avait :

— Amis, je n'ai pas de présents, mais si cela vous sied, je peux vous réciter un poème de ma remembrance.

— Magnifique idée ! applaudit Rosière, toujours férue de spectacle. On t'écoute.

— Il s'agit d'un poème épique du Moyen Âge fort fameux : *La Chanson de Roland.*

Au centième vers environ, les convives commencèrent à comprendre qu'on était loin du sonnet et à manifester des signes de fourmillement. Saint-Lô marqua une pause.

— Les poèmes épiques et chansons de geste duraient toute la veillée, il doit bien rester deux cents strophes encore.. Ce sera mieux si vous prenez vos aises…

La brigade, gonflée de bulles et de victuailles, s'aménagea donc fauteuils et tapis, plaids et coussins pour écouter le troubadour au coin du feu, sa riche voix de conteur bercée par le doux crépitement des braises et les bienheureux ronflements de Merlot.

Minuit. Auxiliaire de police Pilote.

Assis bien droit sur le tapis, l'échine chauffant à la flambée derrière lui, Pilou toisait le rat d'un œil mécontent. Le nouveau commençait à prendre ses aises et s'aventurait de plus en plus régulièrement sur des territoires lui revenant de droit à lui, primo-habitant. Il convenait de lui signifier les limites.

En intérieur, Pilote n'était pas autorisé à user du jet d'urine signalétique. Un coup d'œil furtif à sa maîtresse adorée le dissuada de tenter l'expérience, même dans cette situation critique. Il reporta sa truffe sur l'intrus. Le rat, pure provocation sans doute, avança une patte sur le tapis à son tour.

Pilou retroussa ses babines et émit un profond grognement, suivi d'un seul aboiement de sommation.

Le rat recula instantanément. Il avait compris qui commandait ici.

00 h 01. Auxiliaire de police Ratafia.

Depuis le dessous du canapé, les petites billes noires de Ratafia fixaient l'animal devant lui. Quel con, ce chien.

32

Bois de Vincennes, le 25 décembre 2012

Bousculés par les flics de l'Antigang qui passaient sans les voir, déplacés par les équipes de l'Identité judiciaire, ignorés par les officiers de la Crim, Capestan, Lebreton, Orsini et Rosière se tenaient devant le cadavre de Max Ramier, abasourdis.

Ils n'avaient plus de tueur.

Ils avaient trois meurtres et plus de coupable.

Quatre meurtres maintenant, d'ailleurs.

— C'est les *Dix petits nègres* d'Agatha Christie, remarqua Rosière. Ils clamsent tous et à la fin, il n'y a plus de coupable.

— Sauf que dans le livre, l'assassin fait semblant de mourir. Sur une île, c'est jouable, mais sur la table d'un légiste, c'est plus compliqué, répondit Capestan.

La peau réchauffée et la tête doucement embrumée, elle était repartie de chez Paul pour rentrer chez elle afin de rêvasser à son aise, à son rythme, sans rien planifier sur aucune comète. Le texto de Buron qui la convoquait sur ce nouveau meurtre l'avait cueillie en pleine cotonnade. Retour au brut. En se déplaçant, elle s'attendait à un autre protagoniste du braquage, pas à Ramier.

Évidemment Capestan s'interrogea sur Orsini. Planté sur la scène de crime, le capitaine détaillait tout. À l'affût de ses propres traces ? Il fronçait les sourcils, sujet à de sombres réflexions. Avait-il oublié quelque chose ?

Maintenant que la Scientifique disposait du cadavre de Ramier, on ne tarderait pas à extraire son ADN pour le comparer à celui des trois premiers meurtres et obtenir une preuve indiscutable de sa culpabilité. Ce qui restait la thèse la plus plausible.

Mais lui alors, qui l'avait abattu ?

Orsini ? Encore une fois Capestan se posa la question et encore une fois, elle ne parvint à se fixer sur aucune réponse.

Peut-être trouverait-on un autre ADN sur cette scène-ci. Celui d'un inconnu. Un homme qui n'était pas encore entré dans l'équation et y ferait une tonitruante apparition. Un complice absent de tous les dossiers. Ou un voisin de cellule qui avait entendu parler de la future récolte.

Mais là, nulle annonce, zéro mise en scène, il s'agissait soit de précipitation soit d'un second meurtrier, encore une fois la thèse la plus plausible.

Il était 11 heures du matin et c'était comme si le jour ne s'était jamais levé sur cette partie du bois de Vincennes. Les arbres dénudés auraient pu laisser passer le soleil mais la masse compacte des nuages noirs se serrait autour de ses faibles rayons jusqu'à les étrangler. Une pluie fine et pénétrante avait réduit la neige et entretenait la boue qui leur collait aux semelles.

Des empreintes se formaient puis ramollissaient aussitôt. Quelques touffes d'herbe pelées se mêlaient aux branches cassées et aux feuilles mortes, les pelouses riantes de l'été des pique-niqueurs parisiens n'étaient plus ici qu'un coin sinistre, dans lequel le corps lourd d'un gangster abattu trouvait sa juste place.

— Il est tout chaud de ce matin ! Livré par la hotte du Père Noël lui-même, acheminé par traîneau spécial !

C'était le lieutenant Zahoui de la BRI qui balançait sa série de vannes, comme pour s'en débarrasser. Derrière lui, Diament leur fit un signe minimaliste de la main.

— Deux balles dans le ventre, deux dans le thorax, une dans l'épaule et deux dans les arbres.

— Il tire comme un manche, le Père Noël, ou alors c'est les rennes qui ont bougé, nota Rosière, pas à cours de blagues elle non plus.

Zahoui s'esclaffa, content d'avoir trouvé une copine. Il claqua une grande tape amicale dans le dos de Rosière qui ne serait pas allée jusqu'à ces familiarités mais les toléra avec la suffisance d'une vedette sans cesse sollicitée par ses fans.

Les sept balles avaient retenti dans ce quartier résidentiel et familial des abords du bois. La police avait été immédiatement alertée. Le tireur avait néanmoins largement eu le temps de s'enfuir. Sans silencieux, sans précision, on était dans le carton amateur. Mais amateur muni d'un pistolet automatique et prêt à envoyer un demi-chargeur sans bouger. Le profil pouvait correspondre à un gangster non assigné au port d'arme, un chauffeur par exemple, comme celui qui, selon Lewitz, manquait au braquage.

À cela s'ajoutaient les flopées d'ennemis que devait compter Max Ramier. Il n'aimait personne, personne ne l'aimait. Il était incontrôlable, violent, il ne respectait ni la vie, ni ses engagements. Aussi bien, ce crime-là était totalement indépendant de leur enquête et venait soulager les brimades d'anciens codétenus. Les salopards comme Ramier laissaient des tonnes de pistes derrière eux et peu de motivation chez les policiers qui avaient d'autres justices à rendre.

Quelques gars de l'Antigang ricanaient devant le cadavre, mais la plupart étaient surtout vexés qu'un inconnu soit venu leur souffler la proie sous le nez. La BRI était censée ramener la dépouille de l'assassin du seigneur Rufus pendue en haut d'un mât, et ils se retrouvaient avec un corps plein de boue et un petit malin évanoui dans les bois. Déjà que les flics de la Crim et du Placard les emmerdaient, si le vaste monde s'y mettait aussi, bientôt les cow-boys n'auraient plus qu'à jouer de l'harmonica.

Ces cow-boys auraient pourtant les résultats de la balistique bien avant les Innocents, dès lors il suffirait que l'arme soit répertoriée pour conquérir une avance décisive. Que ce soit dans leurs fichiers ou leurs mémoires, tous les bandits de la région étaient classés, les policiers n'auraient plus qu'à piocher.

Si l'on se basait sur l'appel qui avait alerté la police, les tirs avaient eu lieu à 10 heures. Matinal pour un 25 décembre. En termes d'alibi, Capestan se demanda si Noël faciliterait ou compliquerait la tâche du tueur.

Seul un solitaire pouvait sortir de chez lui à cette heure-ci sans se faire remarquer par des proches.

La moitié des gangsters, au moins. Un bon tiers des flics sans doute.

Non, fausses pistes. Le tireur est un amateur, se remémora Capestan.

À première vue, s'il était criblé de balles, Ramier en revanche n'avait pas pris de coups, on ne l'avait pas battu, on ne cherchait pas à le faire parler. Ce n'est pas l'argent qui avait conduit au meurtre. Ou bien il avait été récupéré directement sur la victime, qui se promenait avec.

Qu'est-ce que Ramier fabriquait dans cette zone ? Dans son dossier, aucune fréquentation n'était notée du côté de Vincennes. Il n'y avait pas un seul bar à moins de deux cents mètres à la ronde, qu'était-il venu faire ici ? Capestan s'éloigna un peu de la scène pour s'offrir une vue d'ensemble et estimer les points d'intérêt du paysage. Dans la rue perpendiculaire qui partait du bois : une mercerie, un club de fitness et un salon de coiffure. Sur l'avenue : une banque, une boutique de portables et une pharmacie. Tous ces commerces semblaient fermés en ce jour férié.

Une longue berline stoppa le long de l'avenue. Buron s'en extirpa avec moins de souplesse qu'en ses jeunes années, mais lorsqu'il rajusta son duffle-coat et s'approcha lentement, une certaine qualité de silence gagna les environs. Il alla saluer longuement les têtes de pont qui œuvraient sur la scène et se faire résumer la situation depuis les différents points de vue. Puis il s'approcha de Capestan et, tout en continuant de survoler le décor de son regard digne de basset artésien, il demanda :

— Alors Capestan ? Vous aussi, ça vous casse l'enquête à ras du bord ?

— Il faut reconnaître que ce cadavre fait un beau cul-de-sac à toutes nos pistes.

— Toutes vos pistes à vous aussi, Capestan ? Vraiment ? Vous n'avez pas un petit suspect supplémentaire qui traîne dans vos papiers ?

La question de Capestan sur Orsini n'était pas tombée dans l'oreille d'un lapereau de l'année. Buron avait dû réclamer des dossiers.

Compte tenu de l'aparté et du ton plus insinuant qu'affirmatif, il laissait néanmoins une marge de manœuvre à sa commissaire. Elle prit note et jeta un coup d'œil au capitaine Orsini qui s'éloignait lui aussi de l'agitation et sortait du bois pour parcourir l'avenue qui le longeait. Il cherchait quelque chose. Mais lui semblait savoir quoi.

33

Lebreton et Capestan avaient renfilé leur manteau pour profiter de la terrasse du commissariat. Louis-Baptiste sortit un paquet de cigarettes de sa poche droite et en alluma une. Lorsqu'il tira dessus, la braise incandescente grésilla, seul signal de chaleur dans la froidure hivernale.

Sans le formuler, les deux policiers s'interrogeaient sur la même chose. Au sein de la brigade, Orsini n'avait toujours pas évoqué son lien dramatique avec l'attaque de la banque Minerva. Cela plaçait Capestan et Lebreton dans une position délicate. Soit ils continuaient de négliger cette vache dans le couloir, soit ils le balançaient eux-mêmes à la brigade. Pour étude au moins.

Capestan, accoudée au parapet, les mains jointes, observait les rares passants dans ces rues dont le réveillon désormais révolu avait brutalement stoppé la frénésie. Le désert après le marathon, sans transition. On achetait tout puis soudain, plus rien. On retournait à une vie normale, le compte essoré, le corps sonné par les sprints.

Lebreton tira une longue bouffée et s'adossa au mur de la terrasse. Sa posture comme son manteau court et bien coupé soulignaient l'élégance naturelle du commandant. Sa sobriété, le minimalisme de ses gestes imposaient une présence forte mais jamais encombrante.

— Il sait forcément qu'on sait. Il ne peut pas en être autrement.

— Oui, les photocopies des dossiers étaient incomplètes, mais il doit se douter que moi au moins, j'ai eu l'intégrale entre les mains.

— Pourtant, il n'est pas venu t'en parler, remarqua calmement Lebreton.

Capestan se redressa et glissa ses mains engourdies dans les poches de son manteau où elles rencontrèrent un ticket de métro usagé. Machinalement, la commissaire joua avec le coin contre l'ongle de son pouce.

— Non, il n'est pas venu.

— On doit au moins évoquer le problème avec la brigade. L'assassinat de Ramier change la donne. Avant, Orsini n'était que victime. Potentiellement manipulateur de notre groupe et pratiquant la rétention d'information…

— C'est lui qui nous a aiguillés sur Jacques Maire.

Lebreton ramassa le cendrier à ses pieds et, d'une vrille aussi lente que précise, il écrasa sa cigarette dedans. Puis il avança de deux pas pour le déposer sur la petite table ronde.

— C'est juste. Mais sûrement pour nous utiliser à des fins personnelles. En tout cas, on ne peut pas le protéger s'il a commis un meurtre. On ne peut plus jouer sur le flou et les limites extensibles. Pas pour un meurtre.

Capestan avait réduit le ticket au format d'un tube minuscule et le faisait rouler entre ses doigts.

— Non, enfin je ne sais pas…

— Comment a-t-il appris pour L'Isle-sur-la-Sorgue, d'ailleurs ? demanda le commandant en plissant légèrement ses yeux clairs.

— Le quotidien *La Provence*.

— Mais comment savait-il que Jacques Maire avait changé de nom et se trouvait là ? Et même qu'il était impliqué dans le hold-up ?

— Je ne sais pas.

Capestan hésita. Rosière était bien entendu au courant, mais devoir l'annoncer encore à d'autres gens la gênait. À ce stade pourtant il le fallait.

— … Il y a encore autre chose en dehors d'Orsini. A priori, d'après l'analyse du manuscrit par Eva, Rufus aurait été complice. Il aurait touché sa part, sans doute pour savonner l'intervention.

— Pourtant, il a arrêté Ramier, releva Lebreton sceptique.

— Peut-être qu'il ne s'attendait pas à ce qu'il tire et que ça a bousculé les plans, ça devenait trop énorme pour le protéger. Il l'aurait menotté lui et laissé l'autre ou les autres s'échapper avec le magot…

Des nuages lourds d'un gris d'inox avançaient au-dessus de l'imposante église Saint-Eustache. Tout à ses déductions, le commandant suivait leur progression sans les voir.

— Dans cette version, je comprends que Ramier en ait conçu une grosse colère et l'ai tabassé à la sortie.

Mais pourquoi ne l'a-t-il pas dénoncé lors de l'arrestation ? La parole des bandits et tout le folklore, je n'y crois pas une seconde.

— Moi non plus. À mon avis c'est pour l'argent. Pour le récupérer. Ramier savait où il se trouvait, sans que la justice puisse le saisir. Ça lui donnait de meilleures chances de le retrouver après la prison, même si ça rallongeait la peine. Ou bien Rufus a négocié avec lui dans le vif de l'action.

— C'est une sacrée coïncidence qu'Orsini ait été envoyé dans la brigade de sa belle-fille.

D'un geste automatique, Capestan libéra ses cheveux longs restés dans le col de son manteau.

— Ce n'est pas une coïncidence justement, c'est lui qui a réclamé cette mutation. Il est venu pour moi. Il s'imaginait sans doute des secrets de famille. Une tradition de corruption peut-être.

— En tout cas, il te gardait à l'œil. Comme tous les suspects potentiels... Dans le dossier lyonnais, rappelle-moi, Jacques Melonne n'avait pas été évoqué comme fugitif possible ?

— Si, mais très rapidement. Il ne correspondait pas du tout à la description...

— À la description de Rufus, corrompu donc. Et des otages choqués.

— C'est juste... Orsini a peut-être suivi tous les noms, sachant que l'un d'eux serait le bon.

— Mais pourquoi faisait-il ça ? Qu'est-ce qu'il attendait ? Après tout, le tireur était en prison. Justice avait été rendue.

— Il faudrait lui demander.

— Oui, il vous répondrait sûrement, intervint la voix d'Orsini.

Capestan et Lebreton laissèrent le capitaine les mener dans la salle de jeux, où le reste de la brigade était réuni. Orsini se posta à un bout du billard, laissant la grande table entre ses collègues et lui. Le jour terne qui traversait péniblement les vitres ne suffisait pas à éclairer la pièce et Rosière, en y pénétrant, avait instinctivement allumé toutes les lampes d'appoint, le luminaire du billard et les guirlandes autour du bar. Il régnait dans la pièce une atmosphère chaleureuse, en contraste avec le froid soudain qui s'était installé à l'annonce d'Orsini. Il avait coupé court aux manifestations de compassion après l'évocation de la mort de son épouse et de son fils, et était immédiatement passé aux commandes de l'enquête les concernant. Comme pour rappeler la nature strictement professionnelle de leurs liens.

Capestan se demanda s'il l'avait fait plus pour les rejeter ou, au contraire, protéger leurs consciences et leur laisser les coudées franches dans leurs suspicions et prises de décision.

— Je n'avais pas le cerveau. Je voulais savoir qui avait monté le coup.

— Ça pouvait être Ramier, remarqua Rosière.

— En toute honnêteté, capitaine, même sans idée préconçue, vous lui trouvez une tête de cerveau, à Ramier ?

— Pour un hold-up réussi, non, je suis d'accord. Mais pour un raté...

— Non, un flic n'aurait pas suivi un dingue pareil. L'affaire venait d'ailleurs. Je voulais savoir d'où.

— Pourquoi penser que Ramier t'y mènerait à sa sortie ?

— Sa non-dénonciation des complices, d'abord. Ensuite j'ai quelques contacts à la maison d'arrêt de Corbas. Je savais que Ramier n'avait pas d'argent. Il n'avait pas touché sa part. Il voudrait forcément la récupérer.

« Un flic n'aurait pas suivi un dingue pareil. » La phrase rebondit soudain dans l'esprit de Capestan qui interrompit le cours des autres questions :

— Attends, attends, comment tu savais que le « flic suivait » ? Après tout, Rufus n'a jamais été accusé de complicité, à l'époque.

La commissaire se tourna vers le reste de l'équipe et s'adressa brièvement à elle, comme pour clore le sujet :

— C'est le cas maintenant. Ce qui explique, Lewitz, l'absence de chauffeur : ils n'avaient pas prévu de fuite précipitée.

— C'était une supposition, c'est vrai, répondit Orsini. Un franc soupçon. Et j'étais très étonné, révolté pour tout dire, d'être le seul à l'envisager. Considérez les faits : non-concordance des descriptions avec les témoins, flou sur les circonstances, il parvient à arrêter le plus dangereux, mais l'autre, il le laisse s'échapper ? Il se déplace sur un braquage avec des débutants ? Il arrive le premier – et très rapidement – alors même que l'alarme, d'après le personnel, venait de se déclencher ? Je trouvais sa chance sélective. Sans l'aura du personnage ou l'aveuglement des collègues, toujours prêts à protéger les leurs…

Les policiers secouèrent la tête en soupirant, il ne fallait pas exagérer.

— Non ? Vous ne croyez pas ? Vous-même, commissaire, vous avez fourni à nos collègues un dossier dans lequel mon nom, pourtant marqué noir sur blanc, ne figurait plus. L'instinct du petit linge sale en famille. Aujourd'hui, je suis suspecté de meurtre et vous me protégez encore, n'est-ce pas ?

La gamme des regards qui se posèrent sur Capestan s'étendait du reproche le plus net à la compréhension la plus totale. La commissaire affiche une brève moue d'excuse. On n'allait pas y passer trois heures non plus, elle aurait agi de la même façon pour chacun d'entre eux.

— Rien de définitif comme protection, rappela Lebreton, d'autant plus agacé par la démonstration qu'il la savait à la fois juste et contraire à ses convictions.

Avant d'intégrer cette brigade perdue, le commandant aurait signalé l'apparition d'Orsini dans le dossier, sans hésiter.

— Je sais, répondit le capitaine. Mais rassurez-vous néanmoins. Ce n'est pas moi qui ai tué Ramier.

Dans la pièce, les ondes se divisèrent. La moitié des policiers croyaient en cette dernière déclaration. L'autre pas.

Capestan se tenait au centre, sceptique deux fois.

34

L'unité mobile sur laquelle Diament avait été détaché remontait le boulevard Sébastopol, la saignée nord-sud qui séparait le Marais des Halles et quittait le sévère théâtre de la Ville pour rejoindre les comédies des boulevards. Les larges trottoirs mélangeaient touristes et riverains, entre KFC, banques et vitrines d'ameublement. Les policiers, gilets pare-balles gonflant leurs poitrails, chaussés de rangers qui les arrimaient au sol, patrouillaient dès la nuit tombée.

Un peu avant la rue Rambuteau, l'enseigne de l'agence LCL abritait un matelas couvert d'un désordre de plaids et duvets, avec un gros sac en plastique percé et une poussette élimée en guise de chevet. Dans ce lit dormaient un homme, une femme et, entre les deux, une fillette qui devait avoir 4 ans. Peut-être 5.

Ignazio, le responsable de l'unité, un homme solide au torse légèrement brioché, soupira.

— Allez, on y va. Diament, à toi l'honneur.

— Quoi ? demanda le lieutenant, certain d'avoir compris, mais refusant d'y croire.

Basile Diament regardait cette famille en se demandant comment ils étaient parvenus à s'endormir avec le froid, la lumière, le bruit, le passage, l'absence de murs autour. L'habitude, la lassitude peut-être. À partir de quel degré d'extrême fatigue ou d'indifférence pouvait-on s'abandonner ainsi malgré le flot des intrus qui défilait au pied du pauvre lit ? Combien de bonnets fallait-il à une petite fille pour sommeiller sous le ciel de la nuit parisienne ? La chaleur des adultes autour d'elle suffisait peut-être.

— Quoi, quoi ? On les dégage et puis c'est tout.

Diament répondit sans réfléchir, comme une évidence, la réponse simple à une question simple.

— Négatif.

Le ton dénué de défi gagna la mansuétude du chef.

— Diament. Je vais faire comme si t'avais rien dit, c'est ta première tournée alors on reprend. Les Roumains, là, pour les habitants, les touristes, l'image de la ville, tout ça, on ne peut pas laisser la situation s'installer. Tu le sais. Tu n'es pas d'accord avec ça ?

— Si.

— Alors on y va.

— Non. Non, je veux pas faire ça.

— Personne ne veut le faire, lieutenant, personne. Mais il le faut.

Mais non, plein de gens et plein de flics passaient sans les voir, alors pourquoi ce soir ne pouvait-on même pas leur accorder ces quatre mètres carrés de bitume ? Diament fixait la petite fille. Il ne s'était pas entraîné des heures et fabriqué des kilos de muscles pour réveiller les enfants.

C'était pas possible, ça suffisait maintenant.

Basile déglutit. À l'intérieur de son crâne, c'est comme s'il avait entendu le craquement des vannes, le flot des larmes se gonflait et menaçait ses murailles. Ses yeux le brûlaient, il inspira. Six ans qu'il tenait, il fallait tenir encore, juste quelques heures, mais ne pas tomber ici. S'accrocher plutôt à la colère, à la révolte, ne pas céder à l'épuisement, au marasme, à la tristesse. Le burn-out, comme disent les médecins. Le ras-le-bol, comme pensa Basile, pour se fouetter.

— Non, je ne les ai pas vus, je m'en vais.

— Ça va maintenant, Diament. C'est politique ou quoi ? Tu vas défiler pour les migrants ?

— Mais jamais de la vie ! J'en ai rien à foutre de la politique. Juste ça, je le ferai pas.

Ignazio était compréhensif, c'était pas le mauvais mec, il faisait son job. Faire régner l'ordre, pousser ses subalternes à obéir. Décourager les Roumains. Il voulait convaincre Diament. Il ne voyait pas que l'accès au cerveau était bouclé.

— Mais c'est rien ! souffla-t-il. Ça se trouve, c'est même pas une famille, ils se connaissent à peine. C'est leur boulot. Et c'est le nôtre. Tu vois bien comment ça se passe, on les secoue un peu, ils vont dix mètres plus loin, ils attendent qu'on parte et ils recommencent.

Diament, lui, ne voulait pas le faire, son boulot. Les tremblements commençaient à le gagner, des mois, des années de brimades, d'humiliations et maintenant ça ? Déloger les fillettes. On voulait qu'il renonce à quoi encore ? C'était quoi la prochaine étape ? Il ne savait qu'une chose, c'est que ce soir, ici, maintenant, c'était non. Il essaya de parler. Une dernière fois. Après, il lâcherait. Il laisserait son corps commander. Il n'avait pas encore 30 ans, mais tant pis. Sa maman comprendrait. Peut-être qu'il avait l'âge de ne plus être son fils.

— Mais justement ! Qu'est-ce que ça peut faire ? Regarde la gamine, elle vient de s'endormir. Ils ont tout installé, ils se posent enfin et il faudrait que je tape dedans ?

Le lieutenant vit un collègue à sa droite qui le dépassait pour y aller, peut-être pour en finir avec cette histoire ou pour jouer les bonnes recrues. Diament lui barra la route. Il dressa ses deux mètres et ses cent vingt kilos entre les policiers et le matelas.

— Et puis vous non plus d'ailleurs. Personne ne fait rien. On passe à autre chose.

— Sinon ? demanda le collègue en appuyant sur le bouton du talkie accroché à son épaule gauche.

— Viens voir, tu sauras.

Alors que Diament, perdu pour perdu, se réjouissait du petit baroud d'honneur qu'il allait s'offrir, une voiture banalisée s'arrêta à leur hauteur. Frost, le commandant de la BRI, baissa la vitre, un sourire mauvais aux lèvres.

— Cette fois t'as gagné, mon gars. T'es muté.

35

Capestan avait tendu l'oreille pour percevoir le coup de sonnette, un ultrason qui, à peine émis, cherchait à disparaître. Buron l'avait appelée pour la prévenir : « Il est très grand et vous n'en connaissez qu'un petit morceau. Je crois que tout le reste est brisé. Réparez si vous le pouvez, commissaire, merci. »

Dans les mains de Diament, le carton d'affaires personnelles ne semblait pas plus gros qu'une boîte à chaussures. Le lieutenant se tenait dans l'entrée, la mine renfrognée et le regard inquiet. Son immense masse musculeuse réduisait toutes les proportions alentour.

Malgré leur passif, Capestan l'accueillit sans la moindre ironie.

— Bienvenue, lieutenant. Je ne suis pas certaine qu'il nous reste des bureaux qui conviennent à votre stature, mais on va trouver, venez.

— Vous ne touchez pas à la salle de jeux ! Le prends pas mal, mon loup, mais je m'y suis attachée au billard, moi, fit Rosière, cigarette encore éteinte à la main, avant de filer sur la terrasse, guidée par l'arrière-train enjoué de Pilou.

— C'est depuis qu'elle a gagné, expliqua Lebreton. Il y a deux petits bureaux au fond, on peut abattre la cloison.

— Pourquoi pas. Ou là dans le salon, proposa Capestan.

— On n'aura plus la lumière de la fenêtre.

— Pardon de parler de vous comme d'une armoire normande, fit la commissaire en se tournant vers Diament qui suivait l'échange sans oser intervenir.

— Ça, mon intégration a soulevé moins d'intérêt, nota Saint-Lô, amer.

Des éclats de voix en provenance de la terrasse les tirèrent de leurs réflexions. Capestan gagna la cuisine, suivie de Saint-Lô, Lebreton et Diament qui posa son carton.

Merlot et Rosière s'opposaient de nouveau. Mais cette fois-ci leur attitude n'induisait aucun plaisir de jeu, ils se disputaient vraiment.

— Encore une fois, moi je pense qu'il a tué Ramier, affirma Merlot.

— Non, je ne crois pas, puisqu'il nous le dit. Ensuite un poulet n'aurait pas canardé tout le décor avant de coller une balle dans la bidoche.

— Pas d'accord, Eva, intervint Évrard. Orsini ne s'entraîne jamais, c'est pas un affolé de la gâchette. Il a un peu visé de travers, mais je suis comme Merlot, je pense que c'est lui.

— Mais putain, justement ! S'il avait voulu faire un carton, il y serait allé, au stand ! Je vous dis que c'est pas lui !

— Si. Et c'est quand même un meurtre. Il faudrait le signaler à l'IGS, insista Évrard d'une voix résignée.

— Ah non, là, chère amie, je ne vous suis plus, la coupa Merlot en agitant un index réprobateur. Certes, il a pu dévier du droit chemin, mais de là à aller cafter, je ne suis plus d'accord. Il convient de régler ça entre soi, sans y mêler d'instance malveillante, ajouta-t-il en évitant ostensiblement Lebreton du regard.

Depuis la veille, le débat faisait rage au sein de la brigade qui s'était imperceptiblement organisée en factions rivales : les pro- et les anti-Orsini. Ou, moins radicalement, ceux qui le croyaient et ceux qui ne le croyaient pas. Deux sous-groupes débattaient plus vivement encore : les partisans d'une enquête véritable, contre les amateurs de petits arrangements. Capestan avait choisi de ne pas se prononcer, elle était pour l'heure d'accord avec tout le monde, ce qui, évidemment, ne constituait pas une posture très hiérarchique.

Elle attendait qu'une sorte de voie de la sagesse émerge des fonds troubles et houleux de sa conscience peu exemplaire. Elle redoutait surtout que l'événement ne ternisse la fragile cohésion de la brigade. Des craquelures commençaient à apparaître. Déjà, depuis l'accident de Lewitz sur le capot de la Porsche, Torrez subissait une nouvelle mise au ban, et plus seulement volontaire. Orsini, lui, continuait de venir et de hanter les couloirs, observant un silence de glacier norvégien. On ne pouvait pas l'accuser de jouer sur la compassion. Sur son passage, les discussions se réduisaient puis reprenaient de plus belle.

— Il ne faut rien régler du tout, asséna Rosière. Il faut trouver le vrai coupable avant que la BRI ou les premiers bourrins venus passent nous serrer un collègue pour des prunes.

Dax et Lewitz, qui avaient abandonné la conversation faute de temps de parole accordé et qui observaient la rue depuis le parapet, poussèrent la même exclamation :

— Oh la vache !

Ils se tournèrent vers leurs collègues, avec de grands moulinets des bras.

— Venez voir, venez voir ! Vite !

Toute la brigade en présence se précipita vers la terrasse. Dans la rue, les cavalcades grondaient comme un roulement de tonnerre. Des têtes affolées apparaissaient aux fenêtres de chaque immeuble.

L'invasion avait commencé. Les hooligans jaillissaient à flot continu des escalators du métro, comme vomis par le Forum des Halles. Ils débordaient ensuite des artères environnantes pour rallier la rue Saint-Denis que, pour une raison mystérieuse, ils allaient monter et descendre en hurlant, telle une horde de barbares en maillot à sponsors. En moins d'une seconde, tous les habitants du quartier connaissaient le programme : ce soir, c'était Chelsea que le PSG affrontait.

Les supporters beuglaient, surexcités, gonflés à la bière et aux hormones de bœuf. En tête de cortège, trois gars aux cheveux trempés de sueur brandirent des pétards gros comme des bâtons de dynamite qu'ils allumèrent et commencèrent à jeter sur les boutiques. Les commerçants baissaient leurs vitrines à toute vitesse pendant que les garçons de café rentraient les chaises de terrasse en urgence.

Un mec, sans doute plus bourré encore que ses copains, s'empara d'une table de bar et, malgré le poids de la fonte, la souleva pour la projeter sur des passants.

270

La masse des décérébrés s'empara aussitôt de l'idée nouvelle et fit voler chaises ou panneaux promotionnels en tous sens, sans considération pour les gens, hommes, femmes, enfants, poussettes et mamies.

— On y va, fit Lewitz en ajustant sa béquille.

Capestan acquiesça et l'ensemble de l'équipe s'engouffra aussitôt dans l'appartement. Ratafia se faufilait entre les jambes, se glissait par-dessus les chaussures pour se frayer un trajet en éclaireur. Tout en avançant ils récupéraient sur les bureaux et dans les blousons leur bandeau rouge « Police » qu'ils passaient autour de leur bras gauche. Alors que Rosière s'apprêtait à suivre, Capestan l'arrêta :

— Je te laisse prévenir les CRS, la préfecture, le toutim.

La capitaine resta donc, avec son Pilou déconcerté et un Diament sidéré. Celui-ci regardait alternativement les scènes de rue et ses collègues, qui partaient d'une démarche décidée.

— Mais vous êtes inconscients ! Vous n'allez pas descendre sans équipement au milieu de ces fous furieux ! Vous n'avez pas de gilets, pas de matraques, pas de lacrymo, pas de casques. C'est un truc de pro, il faut attendre les renforts ! Dites-leur, vous, fit-il à Rosière.

Celle-ci haussa les épaules, elle connaissait ses camarades.

— Les passants aussi, ils sont tout seuls dans leurs slips. Faut bien les aider.

Diament la fixa une seconde sans y croire, puis opéra un brusque demi-tour avant de filer à leur suite.

Ils se déployèrent en arrivant sur la place, écartant les bras et appelant au calme. Leurs injonctions restèrent lettre morte, le fameux respect du Bobby ne s'exportant manifestement pas. Au contraire, forts de leur surnombre, échauffés par des kilomètres parcourus sans défouloir, quelques supporters plus vindicatifs que les autres virent là une belle occasion de bagarre et entamèrent l'éternel cycle des provocations, insultes et crachats variés.

Il fallait les contenir, briser leur énergie destructrice d'une façon ou d'une autre. Quitte à la canaliser sur leurs seules personnes.

Un jeune imberbe qui devait viser un statut de meneur commença à bousculer Évrard, en lui tapant l'épaule. Sans marquer une seule seconde de latence, Dax l'assomma d'un direct en pleine face. Le signal de départ était donné.

L'impétueux Saint-Lô, tête baissée tel un bouquetin ivre de rage, se propulsa aussitôt pour frapper au centre de cette colonne suante et assourdissante qui, une minute plus tôt, avançait droit vers une absence de but. Merlot, Lebreton et Dax fusèrent sur les ailes, rattrapant les éléments épars qui détruisaient le mobilier urbain et menaçaient les passants acculés contre les immeubles. Lebreton l'athlétique et Dax le boxeur réglaient vite le sort de ces hommes surpris de trouver une résistance et trop saouls pour réagir rapidement. Merlot, malgré un physique moins calibré pour l'exercice, compensait par la témérité. Avançant directement au contact, il tapait fort au foie sans sommation. Ratafia en soutien mordillait les chevilles, créant de salutaires diversions.

Capestan se tourna vers Évrard, Diament, Orsini et, plus en arrière, Torrez. Du menton, elle indiqua les porteurs de pétards. Les policiers, comme un seul homme, foncèrent dans le tas pour en disloquer la force compacte.

Évrard, la plus légère, sembla rebondir contre un mur. Alors qu'elle était déjà à terre, un supporter la saisit par son jean et son coupe-vent pour l'envoyer dinguer contre le kiosque à journaux. Sonnée, elle s'écroula et resta ainsi, à demi inconsciente au pied des affiches de magazines.

Ils étaient trop puissants, trop nombreux, trop exaltés, les coups pleuvaient sur la maigre brigade et ce qui ressemblait de plus en plus à une mission suicide. Aucune sirène ne retentissait, les longs cars noirs des CRS tardaient à débarquer, sans cavalerie les poulets allaient se faire Alamo.

Orsini avait déjà le visage en sang. Ses arcades sourcilières, son nez, sa bouche dégoulinaient, mais le capitaine continuait d'avancer en titubant, le regard halluciné, et de se projeter sans méthode sur tous les maillots blanc et bleu autour de lui, ce n'était pas un bagarreur. Sa lavallière n'avait pas bougé, le reste était maculé de traces de semelles.

Lewitz, sur les arrières, cherchait à crocheter les coureurs et assommer quelques crânes, mais son équilibre précaire ne lui permit pas de se défendre quand un des hommes s'empara de la béquille et tira brusquement dessus. Lewitz tomba. L'homme, aussitôt aidé de deux camarades, lui décocha une salve de coups de pied dans le ventre.

Diament, tel un catcheur en furie tombé dans la foule, attrapait les têtes à sa portée et les coinçait sous ses bras pour les tordre, par paquets de trois parfois. Il criait et hurlait plus fort que ses adversaires, frappant son haka en grandeur nature, aplatissant tous ces nez qu'il dominait de trente centimètres. Il tapait avec la joie féroce de celui qui a affronté trop de sacs de sable, savourant le chant des os qui se brisent, la chaleur du sang sur ses phalanges. Il semblait parti pour se battre encore sur un champ vide d'assaillants. De fait, un vaste espace se créait autour de lui, faute de volontaires, et il devait aller chercher ses proies toujours plus loin. Il avait oublié sa nouvelle brigade et combattait seul, sans retenue, sans procédure, enfin. Perdu dans son monde, il perçut pourtant la voix de Lewitz et rejoignit son collègue au pas de course. Happant le plus gras des assaillants, il le souleva et l'abattit sur ses congénères, comme un haltérophile lâche au sol sa barre record. Puis il saisit délicatement le brigadier dans ses bras pour aller le déposer à l'abri, contre un mur.

Torrez était allé combattre seul lui aussi, chassant dans les rues adjacentes pour préserver les collègues de sa présence démotivante, de son ombre plus funeste qu'un vol de vautours. Même à un contre deux, sa certitude d'être du côté le plus sombre armait son courage.

Sous la douleur du premier coup, Capestan s'était embrasée de colère. Plus rouge que Satan lui-même, elle avait frappé aveuglément et délivré toutes les combinaisons que l'entraînement avait gravées dans ses muscles. Mais à présent, elle voyait flou, la terre tan-

guait. Elle n'avait pas pu anticiper l'assaut d'un étran-
gleur arrivé dans son dos. L'homme avait serré, serré,
et n'avait relâché sa prise que quand elle fut à la limite
de l'asphyxie. Capestan s'était avachie sur le trottoir.
Puis elle avait senti qu'on la prenait sous les bras.
C'était Dax, qui la transportait, tout comme Évrard et
Merlot qu'il avait déjà alignés aux côtés de Lewitz,
assis sur la chaussée, le dos appuyé contre la pierre
rugueuse d'un immeuble. Dax, infirmier prévenant, qui
les installait à distance mais face à la bataille.

Les bras maintenus par deux supporters, Orsini
subissait la rouée de coups d'un troisième. Cette fois,
sa lavallière chavirait. Capestan vit alors un élément
de chacun des camps de la brigade, les pro- et les anti-
Orsini, courir à son secours. Saint-Lô n'eut pas à intervenir : Lebreton, plus près, saisissait le cogneur par le
dos du maillot qui s'étira sous sa poigne. Il le retourna
pour lui faire face et décocha un coup de tête qui
envoya l'homme droit au tapis. Les deux autres,
n'écoutant que leur courage, lâchèrent le capitaine et
s'enfoncèrent dans la foule de leurs copains.

Rosière poussa la lourde porte de leur immeuble.
Elle avait chaussé des baskets, plus en adéquation avec
les circonstances que ses escarpins vertigineux mais
assez peu raccord avec sa robe de satin émeraude. Elle
apportait avec elle une épaisse trousse à pharmacie et
un chien policier décidé à en découdre. Pilote sitôt sorti
jaillit à l'assaut des mollets adverses.

Dax alla récupérer Orsini et le déposa à côté de
Capestan.

Après avoir longuement toussé et avant que Rosière
ne l'entreprenne, il tourna son visage tuméfié vers la

commissaire et posa légèrement les doigts de sa main droite sur son bras pour solliciter son attention. Capestan se pencha, la respiration d'Orsini sifflait à ses oreilles. Il retint un gémissement avant d'articuler :

— J'ai trouvé quelque chose. Je crois savoir qui a abattu Ramier...

— Quoi ? Qui ? On connaît ?

Orsini hocha lourdement la tête en signe d'assentiment.

— Plus tard, plus tard... Après ça, souffla-t-il en désignant la place où régnait encore le chaos.

La brigade avait entamé ces affrontements à dix contre trois cents. Ils n'étaient plus que cinq et l'adversaire, lui, semblait toujours se relever. Les nymphes de pierre de la fontaine observaient le carnage sans se départir de leur imperturbable sourire.

Saint-Lô, pris en tenaille, reculait face à trois musculeux. Il cherchait à s'approcher du mur pour assurer ses arrières. Du coin de l'œil, il vit Lewitz assis plus loin qui s'appuyait contre une gouttière pour se relever et venir l'aider. Saint-Lô secoua la tête à son intention et cria :

— Non, non ! Juste la béquille !

D'un geste sûr de lanceur de javelot, le brigadier lança l'instrument et Saint-Lô l'attrapa au vol. Un large sourire découvrit ses canines. Il pesa la longue canne d'un mouvement d'expert et quand il eut trouvé le parfait équilibre, il assura sa prise, pile entre les deux demi-cercles de plastique qu'il tourna vers l'extérieur. Puis, brandissant la prothèse, il déclara d'une voix vibrant de confiance et de contentement :

— En garde !

276

Les Anglais de Chelsea ne comprirent pas les mots mais saisirent le sens. Un détail dans le regard de Saint-Lô les dissuada pourtant de rigoler. Ils continuèrent d'avancer. Avant même qu'on l'ait vue bouger, la béquille fusa contre le plexus du premier supporter qui arrondit les yeux sous le choc et s'écroula, le souffle coupé. Elle atteignit ensuite la pomme d'Adam du deuxième qui s'affala sur le trottoir en crachant. Ne restait plus que le troisième dont l'assurance faiblissait, mais que la fierté tenait en place. D'un mouvement vif, il sauta sur Saint-Lô, cherchant le corps-à-corps. Le capitaine esquiva en souplesse, saisit le bras de son adversaire, le déséquilibra et, voltant à cent quatre-vingts degrés, il recula d'un pas et planta l'extrémité de la béquille pile entre les deux yeux.

— La botte de Nevers, mes amis ! s'exclama Merlot, ravi. Avec le bout en caoutchouc, sur le front, on perd un peu en efficacité, mais quelle sûreté dans l'attaque !

L'homme n'en demanda pas plus et courut vers la rue des Lombards. Mais le flot des maillots se reconstituait encore, son ivresse à peine entamée. Saint-Lô, d'un jet, rendit sa béquille à Lewitz et dégrafa la dague de sa cheville. Il eut un geste bref d'apaisement à l'intention de Capestan. La dague restait dans son fourreau de cuir, elle n'officierait qu'en solide poinçon.

D'un rugissement, Diament se signala à l'agile capitaine. Il écartait les membres et paraissait vouloir en finir. Telle une pelleteuse sur la plage, il ramassa des brassées d'abrutis qu'il rabattit les uns sur les autres. Face à lui, à contre-courant, Saint-Lô piquait de sa dague, éclair furieux frappant et disparaissant. L'alliance du grizzli et du frelon compressait la masse des éponges à bière.

Merlot se tourna vers Ratafia :

— Va ! Va les aider, mon Rata !

Le rat fila aux talons du mousquetaire. Le rongeur ne se contentait plus des chevilles, il avait pris de l'assurance et grimpait maintenant à l'intérieur des pantalons, attaquant les cuisses. Les gars hurlaient, tapant leurs larges joggings à l'aveugle pour chasser une bestiole qu'ils n'avaient pas vue arriver.

Obéissant à la même stratégie sandwich que Diament et Saint-Lô, Pilote se rua en soutien et croqua les fessiers des victimes du rat qui ne savaient plus où donner du poing.

— Plus haut, Rata ! Plus haut ! l'encourageait son maître.

Museau en pointe, pattes crochues plantées dans les peaux, Ratafia gagna du terrain, on distinguait la silhouette qui s'aplatissait dans les plis du tissu et atteignait désormais l'entrejambe, le sang auréolait de sombre le blanc des cotons. À genoux, les hommes pleuraient.

— Ouais vas-y, mon rat ! Attaque, attaque ! criait Merlot désormais debout, totalement galvanisé.

Il se tourna vers Capestan :

— J'ai dressé un rat policier ! J'ai dressé un rat policier !

— Chut, chut, tais-toi, pas si fort, souffla Capestan.

Manquerait plus que l'information s'ébruite : la police dressait les rats pour émasculer les foules. Buron serait ravi.

278

Bientôt la bagarre générale qui avait envahi la fontaine des Innocents se résorba. La cohorte des supporters qui repartit sur Châtelet ne déferlait plus, elle clopinait, blessée, pliée en deux, pressée d'atteindre les sièges en plastique de ces tribunes sur lesquelles la plupart auraient du mal à s'asseoir.

Les efforts conjugués des deux nouvelles recrues de la brigade, trois en comptant Ratafia, avaient eu raison des barbares.

— Victoire ! Victoire ! On a gagné ! Veni Vidi Vite fait ! Grâce à mon rat !

On ne tenait plus Merlot. Alors même que son œil gauche, poché, avait doublé de volume et qu'il lui faudrait retrouver quelques couronnes dentaires, alors même que ses collègues avachis comptaient leurs rares membres encore intacts, que Torrez, Lebreton, Dax, Saint-Lô et Diament, les derniers combattants, marchaient lentement vers eux, fourbus, un chien et un rat rouge à leurs côtés, Merlot, lui, célébrait Austerlitz.

— Tu sais, c'est ce qu'ils cherchaient dans le fond, je crois pas qu'on leur ait gâché leur soirée, tempéra Évrard en souriant néanmoins.

Autour, les fiertés, même édentées, ne cachaient plus leur allégresse. Merlot hilare, les ongles pleins de sang, grattait le cou de son rat.

— Oh je pense que si ! Crois-moi !

Il marqua une seconde de pause, se pencha puis, d'une main convaincante, saisit le bras d'Évrard :

— Sans roubignoles, la fête est moins folle.

36

— Non, je ne vous crois pas, ce n'est pas lui.

Capestan refusait obstinément d'entendre Orsini.

Ils étaient tous deux dans le bureau du capitaine à la lavallière sagement renouée. À l'instar du reste de la brigade, les policiers étaient couverts de pansements, de bandelettes, de pommades et d'éosine. La salle de bain du commissariat avait été transformée en hôpital de campagne, Rosière officiant à grand renfort de blagues de régiment. Un médecin était venu et les avait alignés dans le couloir, chacun sur une chaise, pour les examiner à la file et les classer par ordre de priorité. Évrard et Lewitz avaient été envoyés aux urgences pour des radios de contrôle, les autres s'en sortaient avec du rafistolage. Le médecin avait également contrôlé l'état de Ratafia, qui se portait comme un charme et hissait haut son museau au côté de Pilou. Tout le monde s'était bien tapé dans le dos, félicité, congratulé, Dax avait même versé une petite larme sous la chaleur des remerciements collectifs. Et quelques secondes à peine après avoir savouré le retour de l'esprit de camaraderie dans la brigade, Capestan se retrouvait sur cette chaise à écouter Orsini affirmer n'importe quoi.

— Si, commissaire. Tout indique que si.

— Je vous dis que non.

— Écoutez… Je comprends. Je vous laisse ce que j'ai trouvé, vous arriverez aux mêmes conclusions que moi, proposa Orsini d'une voix beaucoup plus douce qu'à l'ordinaire.

Sur sa table de verre immaculée, il disposa dans l'ordre le bout de carton avec le code, un DVD de vidéosurveillance, une carte de club, un dossier. Il sortit en silence, veillant à fermer la porte sans la claquer.

Capestan contemplait les éléments. Elle luttait contre la raison, mais la logique d'Orsini traçait son chemin malgré tout. La plausible vérité s'insinuait dans ce labyrinthe cérébral dont elle bloquait toutes les portes. Peu à peu, le déni perdrait la partie, cédant la place à la colère, puis l'abattement. Mais après ? Que faire après ?

Ainsi Orsini n'avait assassiné personne. Il n'avait pas vengé sa femme, ni son fils.

Mais Paul, lui, avait vengé son père.

Ce père qu'il n'aimait pas, ce père qu'il ne voyait plus, mais qui avait inscrit en lui violence et loi du talion.

Ou c'était un accident. Oui, un accident. Qu'il était allé chercher.

Capestan resta les yeux dans le vide de longues minutes, jusqu'à ce que la pièce entière devienne floue, jusqu'à assèchement complet de ses pupilles.

Elle ne comprenait pas.

Son mari, un tueur. Il n'avait pas le profil. Il n'avait même pas le profil d'un mécontent. Sous quelle strate originelle était-il allé chercher ce geste qui lui ressemblait si peu. L'animal ? L'identification ? Le sentiment de devoir ? Ou simplement la nécessité de prouver par-delà la mort qu'il était de la même race et combler ainsi cet éternel besoin de reconnaissance des enfants qui, même après l'abandon, même sous les coups, continuent de quêter sans répit l'amour et l'approbation de leurs parents. Paul lui-même ne devait pas détenir la réponse.

Et sans pouvoir s'en empêcher, Capestan se demanda aussi comment son mari avait pu commettre un meurtre au moment même où, enfin, ils se retrouvaient. Non pas sous ses yeux, mais en plein dans le radar de ses enquêtes. Et comment ignorer sur ce radar l'énorme point rouge qui clignotait soudain et résonnait comme le bip d'un électrocardiogramme plat ?

Il fallait analyser froidement, ne pas le prendre personnellement, ne pas accueillir les faits avec cette effroyable sensation de gâchis.

Paul n'avait pas eu confiance en son enquête et avait décidé d'agir seul. Il l'avait manipulée. Et quoi ? Il pensait qu'elle n'allait pas le démasquer ? Il comptait passer le reste de ses jours, tranquille, assis dans leur canapé sur son gros mensonge. Ou il se disait, facile, mon épouse est flic, elle n'aura qu'à magouiller l'enquête et hop. Léger. Comment ne pas le prendre personnellement. Comptait-il seulement se dénoncer, lui avouer le meurtre ? Capestan était tentée d'attendre, pour savoir.

Vraiment. Attendre. Pour une fois, Capestan n'avait pas envie d'agir. Elle voulait laisser la vie décider toute seule, elle voulait se laisser porter, suivre la politique du chien crevé au fil de l'eau, attendre que tout se règle sans elle, qu'on vienne la chercher et lui dire : « C'est bon, tout est arrangé. » Abdiquer. Trouver un terrier.

Mais ça ne se passerait pas comme ça.

Elle effleura le code du doigt. Orsini avait produit un boulot de fourmi.

947091. Une date de naissance inversée, avait-il fini par déduire. Le 19 juillet 1949.

Il avait ensuite épluché les dossiers de tous les meurtres, un par un, feuillet par feuillet. Rien. C'est finalement dans les données RH de Rufus qu'il avait trouvé : 19 juillet 1949, date de naissance de sa femme. La brute avait un fond de sentiment. Ou un début de méthode.

Le code avait été relié à Serge Rufus. Restait à en établir la fonction.

Si Ramier l'avait conservé, c'est qu'il lui était utile.

L'argent.

Un code de consigne ? Orsini avait appelé toutes les gares, aucune n'utilisait ce système. Il avait ensuite battu les documents sur Rufus : avait-il un club de sport, de tarot, d'anciens de la police ? Un vieux casier au 36 ? Un vestiaire dans un stand de tir ? Rien, Orsini avait fait chou blanc.

Jusqu'au meurtre, à Vincennes.

Puisque rien ne liait Ramier à Vincennes, peut-être que Rufus, lui, y avait un point d'attache ? En écumant les rues latérales, le capitaine était tombé sur une salle de fitness. Un de ces clubs automatiques où il suffit de glisser une carte d'abonnement pour entrer. Carte payée en espèces. Discrétion assurée. Tous les jours de 7 à 23 heures.

Après s'être fait ouvrir le club par un gars du service de nettoyage, Orsini avait composé le code sur chaque casier : l'un d'eux s'était ouvert. Vide.

Les bandes vidéo des environs de la salle avaient ensuite tourné sans relâche sur le PC du capitaine. Isolée quatre fois : la silhouette de Ramier neigeuse en noir et blanc qui s'introduisait dans le club après un bref coup d'œil alentour. Les 28 novembre, 14 décembre, 22 décembre et enfin le 25 décembre, matin de sa mort, il ressortait chargé d'un gros sac. Il avait dû finalement tout récupérer pour assurer sa cavale et avait choisi un jour où personne ne le dérangerait. Le 25 décembre, à 10 heures du matin. Personne ne l'avait dérangé en effet, dans le club.

Isolée trois fois : la silhouette neigeuse noir et blanc de Paul Rufus. Les 21, 22 et 25 décembre. Le 21, il entre dans la salle de fitness et en ressort au bout de quelques minutes. Le 22, même schéma. Le 25 il aperçoit Ramier qui sort du club, on le voit hésiter quelques secondes et lui emboîter finalement le pas, direction le bois. Puis tous deux sortent du champ.

Capestan réfléchit. Le 20, elle a vu Denis. Elle lui a appris que Serge était mort. Denis avait-il un message pour Paul si son père venait à mourir ? Possible. Serge et Denis avaient souvent su trouver le terrain d'entente qui manquait aux relations père-fils. Serge et son côté beau mec à l'ancienne avait pu lui confier un courrier, un colis pour le cas où « il lui arriverait quelque chose ». Sauf que Denis n'allait pas suivre l'état de santé du bonhomme. Il avait fallu l'entrevue avec Capestan pour qu'il s'agite.

Et Paul n'avait rien dit à Anne.

Pas même le soir du réveillon.

Ni la nuit, ni le matin de Noël.

Elle avait quitté son appartement à 8 heures, bêtement heureuse. Deux heures plus tard, Paul filait Ramier du côté de Vincennes.

Dans l'esprit de Capestan, les seaux de tristesse éteignaient les bouffées de rage, qui se rallumaient aussitôt. Elle ne savait trop, des deux émotions, celle qui l'emporterait.

Une part de compréhension peut-être ? Non, ce serait un signe de faiblesse. La tentation était grande en effet de s'en sortir par un raisonnement faussé, de lui trouver une excuse à lui pour s'en bâtir une à elle.

Elle aussi aurait tiré, se dit Anne.

Non, pas pour un Serge.

On toqua à la porte. Orsini y passa la tête.

— Téléphone, pour vous.

— On ne peut pas m'appeler sur mon portable plutôt ?

— Si. Mais lui aussi est dans le salon.

Capestan tâta ses poches par réflexe, mais non, bien entendu, pas de mobile. Elle soupira. Puis réalisa. C'était peut-être Paul. Elle tourna un regard interrogateur vers Orsini, qui ferma les yeux en secouant très légèrement la tête en signe de dénégation.

— Buron.

Capestan souffla. Buron. Elle avait bien besoin de se faire moucher par le directeur aujourd'hui. Elle se força à se lever.

Dans le salon, évitant le regard de ses collègues, elle saisit le téléphone sur son bureau et tourna le dos à la salle.

— Monsieur le directeur ?

— Bonjour Capestan, je vous appelle à propos de cette bagarre générale qui a éclaté près de la fontaine des Innocents…

— Oui, d'accord, d'accord. Écoutez, on a fait ce qu'on a pu. On est désolés, voilà. Et on veut bien se faire blâmer, mais franchement, pour une brigade oubliée, on nous lâche pas souvent.

Un court silence se fit entendre au bout du fil. Buron reprit :

— Non commissaire, en réalité, j'appelais plutôt pour vous féliciter. Votre intervention était contraire à nos procédures, à la prudence et au simple bon sens, mais c'était un bel acte de bravoure qui a certainement limité les dégâts. Je dois dire que dans le quartier, l'implication courageuse de ces forces de police, pourtant très inférieures en nombre, a impressionné les habitants.

— Ah. Bien. Merci, fit Capestan un peu piteuse. C'est agréable à entendre. Et aimable à vous de nous répercuter le compliment.

— Bien sûr, les mêmes habitants ont aussitôt fustigé le retard des CRS, l'impréparation de la ville les soirs de matches, et ils ont évoqué des fables sur des hordes d'animaux sanguinaires dressés pour tuer, ça vous dit quelque chose ?

— L'impréparation ?

— Les hordes d'animaux sanguinaires.

Capestan avait pris un stylo-bille qu'elle faisait tourner sur le bois de son bureau.

— Il y a peut-être le chien de Rosière et le rat de Merlot qui nous ont aidés.

— Bon. Quelque chose ne va pas, Capestan ? demanda Buron d'un ton réellement concerné.

— Non, non, monsieur le divisionnaire, minimisa la commissaire, tout va bien. On se remet de nos blessures.

— Bien. Vous m'appellerez quand vous aurez moins mal.

Lebreton patientait dans la longue file d'attente du charcutier-traiteur de la rue Montorgueil. Il se lassait un peu des carottes râpées et des rillons et se demandait s'il n'allait pas tenter la salade de pommes de terre avec du jambon à l'os. Ensuite, il passerait chez le primeur acheter deux pommes.

Le regard du commandant, comme souvent depuis qu'il connaissait Pilote, fut attiré par le petit chien qui attendait sagement, assis à deux mètres des broches de poulets rôtis. Le poil blanchi, l'œil vitreux, il avait atteint son âge vénérable d'heureux clébard et portait fièrement autour du cou une médaille argentée sur laquelle étaient gravés non pas un mais trois numéros de téléphone. Cela faisait longtemps que ce chien n'était plus en état de fuguer, mais, vraiment, on ne voulait pas le perdre.

37

« Anne, je dois te parler. »
Il avait fini par appeler.

Assise sous une des lampes chauffantes de la terrasse du Cavalier bleu, Capestan suivait le mouvement
hypnotique des têtes de visiteurs qui remontaient le
long escalator tubulaire du Centre Pompidou. Elle
aimait bien ce paquet de tuyaux colorés, « l'Intestin
culturel » comme l'appelait sa grand-mère, farouche
opposante au projet.

Sur le pavé mouillé, les centaines de fientes de l'es-
cadron de pigeons de la place se décomposaient, ber-
çant le touriste d'une illusion d'humide propreté. En
cette semaine de congés scolaires, les Parisiens avaient
filé. Sur la grande terrasse, à l'angle des rues Saint-
Martin et Rambuteau, une seule autre table était occu-
pée, ils ne seraient pas dérangés. Capestan ne s'était
pas senti le courage pour un tête-à-tête en appartement
et Paul avait spontanément proposé un café à la fois
proche du commissariat et du domicile d'Anne. Comme
c'était délicat de la part d'un homme qui avait un
meurtre à avouer.

Elle le vit de loin qui descendait la rue Saint-Martin, les mains dans les poches de son caban bleu marine, la tête rentrée dans les épaules pour se protéger du froid. Le bonnet gris, incapable de domestiquer une telle masse de cheveux, laissait échapper des mèches blondes trempées de pluie. Capestan se demanda quand elle cesserait de se trouver frappée par sa beauté. Dans dix minutes peut-être. S'il ne disait pas ce qu'il fallait.

Il hésita une micro-seconde avant de l'embrasser rapidement, puis s'installa face à elle, les mains toujours dans les poches. Le garçon se matérialisa aussitôt, sans un mot, index et pouce dans le gousset de son gilet, à tripoter sa petite monnaie.

— Un café moi aussi, demanda Paul sans réfléchir, plus pour se débarrasser de la question que pour boire quelque chose.

— Ça va ? Bon temps de saison, hein, ajouta-t-il à l'intention de Capestan.

Il attendait l'arrivée du café et le départ du serveur pour aborder les choses sérieuses.

— C'est quoi ça ? demanda-t-il, vaguement inquiet, en désignant les marques bleues dans le cou et le pansement sur le front.

Il remercia le garçon d'un hochement de tête.

— Les supporters de Chelsea, se contenta-t-elle de répondre, refusant d'épiloguer.

Elle n'était pas venue pour se faire plaindre, encore moins se faire consoler.

Paul décoda sans peine, l'habitude. Il avait fini de touiller son café, il allait devoir se lancer. Te plante pas, pria Anne intérieurement. Il inspira et détourna le regard en direction des passants de la rue Rambuteau.

— Bon. Je vais te faire la version brute car je ne sais pas comment l'enrober. J'imagine que tu enquêtes déjà dessus, mais on ne sait jamais : Ramier, le type qui a assassiné mon père, il est mort. C'est moi qui l'ai tué.

— Comment ça s'est passé ?

Question de flic, pensa Capestan. La seule chose qui te préoccupe c'est « Pourquoi tu ne m'en as pas parlé plus tôt ? », mais tu réclames un aveu circonstancié. Paul ne parut pas surpris, il avançait dans son tunnel, vite, car il n'y avait pas d'autre trajet et qu'il fallait serrer les dents jusqu'à l'arrivée, sans réfléchir.

— Il m'étranglait et je n'avais plus assez d'air pour me battre. Alors j'ai tiré.

L'étranglement, même méthode que pour Velowski, songea Capestan. Ça se tenait. Restait à savoir pourquoi Paul se promenait avec un pistolet.

— D'où sortais-tu cette arme ?

— Oui, je comprends. Je vais commencer par le début, ce sera plus clair, fit Paul en donnant deux légers coups de cuillère sur la table. Après t'avoir vue, Denis a sonné chez moi. Il m'apportait une enveloppe que mon père lui avait confiée à mon intention, « au cas où ». Avec les casseroles qu'il traînait, ça devait faire beaucoup de « cas » et mieux valait prendre des mesures. Comme je refusais de le voir… Enfin, tu sais tout ça.

Capestan ne répondit rien. Les bras croisés, adossée à la banquette, elle se contentait d'écouter sans orienter son témoignage par la moindre réaction. Paul prit une profonde inspiration pour poursuivre.

— Dans cette enveloppe, il y avait une carte d'un club de sport, un bristol où il avait inscrit un chiffre de casier avec son code et… une lettre. Courte.

Paul déglutit et ses yeux rougirent, mais il fronça les sourcils et se reprit, le tunnel.

— Je suis allé au club dès le lendemain et j'ai ouvert le casier. Des billets y étaient rangés par liasses dans des boîtes à chaussures empilées. Six boîtes. J'ai refermé, je suis reparti. J'ai gambergé toute la nuit, je ne savais pas trop quoi faire de ça. Je me suis dit qu'il fallait au moins que je rapporte une boîte pour évaluer la somme… J'y suis donc retourné. Et là, il manquait une boîte. J'ai recompté, vérifié, cherché. Mais j'étais sûr de mon coup. Il en manquait une, quelqu'un l'avait emportée. Qui ? J'ai tout de suite pensé à Ramier, aux marques de coups sur le corps de mon père. Il l'avait torturé pour lui extorquer le code.

Paul écarta les mains pour prendre Capestan à témoin de l'évidence :

— Je savais qu'il reviendrait et j'ai décidé de l'attendre. Mais, un tel type, je ne pouvais pas aller lui parler sans me protéger un minimum. Alors j'ai récupéré une des vieilles armes de mon père, une des « fantômes » comme il disait, non répertoriée d'après ce qu'il m'avait expliqué quand il cherchait à m'intéresser à ses trucs de flic. Il aurait pu m'apprendre à la nettoyer et à tirer aussi, mais c'est moi qui ne voulais pas. Donc j'ai pris le revolver…

— Le pistolet. C'était un pistolet, on a retrouvé les douilles.

— Ah, admit son mari en haussant les sourcils. Le pistolet. Par précaution, je suis allé l'essayer dans la cambrousse. Je ne voulais pas me retrouver en face d'un tueur avec un rev... un pistolet qui fait clic-clic comme dans les films.

Paul risqua un sourire mais se ravisa aussitôt. Face à lui, sa femme ne riait pas du tout. Elle mesurait l'inconscience totale qui avait guidé son époux sur cette voie. Il avait pensé pouvoir affronter cet homme, son courage avait viré à l'aveuglement.

— Tu te rends compte un peu de qui était Ramier ? Il venait d'assassiner trois personnes. Comment as-tu pu risquer une telle confrontation ? Pourquoi ?

— L'envie d'en savoir plus, bien sûr. Est-ce que mon père était vraiment devenu un ripou, à quel point, est-ce qu'il avait braqué, tué lui aussi, depuis quand, avec qui ? Ramier l'avait-il assassiné pour se venger d'une trahison ou au contraire Serge avait-il eu un sursaut d'honnêteté policière ? Dans la lettre, il n'y avait rien sur leur passif.

Paul secoua la tête avec dépit, il n'était pas dupe de ses piètres résultats.

— Au final, je n'en sais pas plus et je me suis collé dans la mélasse. Mais j'avais raison sur un point : il est revenu. Tu m'avais montré un portrait sur ton téléphone. Je l'ai reconnu au moment où il ressortait du club, un sac sous le bras.

En aparté, il signala :

— J'ai récupéré le sac, il est à ta disposition évidemment. Donc, reprit-il, j'ai décidé de le suivre. Quand je n'ai plus été qu'à quelques mètres, je l'ai interpellé. Il s'est retourné et m'a dévisagé un moment, je voyais que ma tête lui évoquait quelque chose, je... enfin, je ressemble à mon père, tu le sais bien. J'ai confirmé, je me suis présenté. Il s'est avancé et j'allais lui poser une première question, mais il ne m'a pas laissé le temps de démarrer. Il m'a sauté directement à la gorge et il a serré comme un fou.

Au souvenir de la brutalité de l'attaque, Paul écarquilla les yeux. Il n'en revenait toujours pas, ne comprenait pas.

— Je me suis débattu, mais sur un combat aussi rapproché, sans pouvoir respirer, j'ai vite compris que je ne lui ferais pas lâcher prise. J'ai réussi à passer ma main dans ma poche et à sortir le pistolet, là j'ai tiré comme je pouvais…

Sa main se resserra sur la cuillère qu'il n'avait pas lâchée. Il reconnut, piteux :

— Sous le coup du stress, j'ai dû vider le chargeur, j'avais la trouille de le rater et qu'il récupère l'arme.

La championne de tir qu'était Capestan ne put s'empêcher de relever qu'ainsi, à bout portant, envoyer deux balles dans les arbres tenait pratiquement de l'exploit. Il fallait voir le bon côté, ça jouerait en sa faveur.

Paul semblait avoir dévidé tout son récit. Maintenant, Capestan allait devoir poser la seule question qui la tourmentait vraiment. Elle articula à peine :

— Pourquoi tu ne m'en as pas parlé ?

— Pour ne pas t'y mêler.

— Tu plaisantes ? Paul…

Elle était mêlée corps à corps, vie à vie avec cet homme depuis la naissance des sentiments, le lien à peine distendu était revenu les projeter l'un contre l'autre avec la force du plus puissant des élastiques, et lui, lui qui avait actionné l'effet retour, aurait voulu l'épargner ?

— Sachant cela, connaissant tes intentions, pourquoi t'es venu peindre en bas de chez moi ? Pourquoi ?

Paul baissa les yeux. Elle avait raison, il le savait. Mais aucune raison d'aucun cerveau n'avait rien à voir là-dedans. Ils s'étaient revus, ça avait suffi.

— Parce que je ne pensais qu'à toi. Je n'ai rien calculé, je voulais juste que tu reviennes. Toi aussi, non ?

L'évidence rendait inutile toute réponse. Il poursuivit :

— Je suis désolé, réellement. Mais j'avais besoin de mener ça seul, sans la police, pour obtenir les vraies réponses, du seul type vraiment concerné. Je ne pensais pas que ça tournerait comme ça.

Avec un sociopathe comme Ramier, ça ne pouvait pas virer autrement. Paul s'était bercé d'une vision romanesque des criminels. Et il s'était enfui au lieu de l'appeler.

— Tu aurais dû me prévenir immédiatement. Ces aveux, il fallait les balancer tout de suite. Il y aurait toujours eu la question de l'arme et de la rétention d'informations concernant un fugitif, mais avec une légitime défense constatée sur les lieux, c'était plus facile. Pourquoi tu n'as pas téléphoné ?

Paul haussa les épaules, puis se recula pour s'adosser à la chaise. Il écarta à peine les bras, avant de livrer la réponse qui devait lui sembler la plus honnête :

— Justement parce que c'était toi. Tu n'aurais pas été sur l'affaire, ça aurait été n'importe quel autre flic, j'aurais appelé, je pense. Mais là, je n'étais pas fier de moi et quand on se sent minable, la femme qu'on aime n'est pas la première avertie. D'un autre côté, je n'allais pas renseigner quelqu'un d'autre que toi. Tout s'est embrouillé, j'étais paumé, assez choqué aussi, tu sais. J'ai attendu.

Le regard de Capestan se perdit sur la place. Les pigeons s'étaient rangés le long du toit du bâtiment de l'Atelier Brancusi. La pluie gardait son rythme, installée là pour son éternité parisienne, assombrissant l'asphalte, masquant les visages, elle dessoiffait les pauvres troncs des marronniers à travers leurs cercles de métal ou filait dans les égouts rejoindre d'autres égouts.

38

Un instant, Capestan contempla Paul et joua avec l'idée d'enterrer l'affaire, vite fait bien fait. Quitte à trouver un autre coupable. Après tout, les salopards, ce n'était pas ce qui manquait, il y en aurait bien un pour porter le bon costume dans la bonne taille.

Mais non. Elle ne pourrait pas vivre avec ça. Dommage.

Puis elle repensa à la proposition d'Orsini, plus tôt, dans le bureau : « Je ne sais pas s'il s'agit d'une vengeance ou d'un accident, mais si nécessaire je suis prêt à témoigner que j'étais là, qu'il m'avait appelé et qu'il a agi en état de légitime défense.

— Ce serait un parjure, capitaine.

— Paul a sans doute commis un crime que j'aurais pu, et même dû, commettre moi-même. Ça me paraît normal de le partager. Faux témoignage, complicité : ça fera l'affaire.

— Non. Sans compter que c'est ridicule. Je vous rappelle que vous étiez avec nous lors de la découverte du corps, en compagnie de la moitié des flics du 36. Vous vous seriez signalé, j'imagine.

Orsini avait baissé la tête, les mâchoires contractées.

— Oui. Écoutez, si je peux faire quoi que ce soit, sachez que je veux le faire.

— J'ai entendu, merci capitaine.

Après tout…

Peut-être qu'Orsini pourrait déclarer avoir reçu un coup de fil avant et ne pas y avoir accordé toute l'attention nécessaire, ce qui dédouanerait Paul d'une partie des charges…

Non. Capestan devait contrôler sa peur de voir disparaître son mari derrière les murs sales d'une prison et lire les événements avec sang-froid, comme pour tout homicide. Paul n'avait pas l'âme d'un meurtrier et c'est certainement ce que les éléments démontreraient si elle parvenait à les aligner comme de vulgaires pièces probantes. Elle devait se ménager un laps de temps pour rassembler ses synapses qui s'électrisaient en tous sens.

Toujours adossé à la chaise, le bout des doigts posés sur le bord de la table, Paul attendait que les nouvelles aient tracé leur chemin, qu'Anne reprenne la parole.

— Qu'est-ce que je suis censée faire à ton avis ? demanda-t-elle pour briser le silence plus qu'autre chose.

— M'arrêter. J'aimerais autant que ce soit toi, sauf si tu ne préfères pas, bien sûr. Mais de toute façon, je ne vais pas partir en cavale, j'ai passé l'âge. Et puis, les gens connaissent mon visage, je n'irais pas loin. Je comptais assumer.

Un bref soupir s'échappa de Capestan qui hocha la tête. Assumer. Il n'avait aucune idée de ce qui l'attendait. Mais son absolue sincérité s'affichait en large, illuminant tout l'espace autour. Il n'y avait jamais la moindre poussière sous les tapis de cet homme.

— Alors comme ça, il t'a laissé une lettre ?

— Oui.

Paul ouvrit son caban de laine épaisse et saisit avec précaution une feuille pliée en quatre dans sa poche intérieure. Il la tendit ensuite à Capestan.

— Tiens, lis-la.

Capestan leva la main. C'était personnel. Elle préférait s'en tenir à un simple résumé du destinataire.

— Lis-la, insista Paul en glissant la lettre sur la table. J'aime autant.

Capestan déplia le feuillet.

Paul,

Comme tu le sais, j'ai été un mauvais mari, un mauvais père, un mauvais flic. Avant cela, j'avais été le mauvais fils d'un père féroce, comme tu le sais aussi, mais je ne cherche pas d'excuses.

Tu as été un piètre mari – ainsi que je l'avais prédit – mais un bon fils. Je n'ai pas compris ton courage à l'époque. Jouer les comiques, rester heureux, c'est ce que tu pouvais m'opposer de plus costaud. Quand j'ai commencé à comprendre, on ne se voyait déjà pratiquement plus. Tant pis, c'est comme ça.

Mais même de loin et sans que tu le saches, je voulais rester ton père et agir comme tel. Je suis sorti du cadre pour aller chercher de quoi financer ta carrière à Paris. Tu aurais sans doute réussi sans moi, mais je voulais participer. Je le considérais comme un devoir.

L'argent qui n'a pas été utilisé à l'époque te servira d'héritage aujourd'hui. Ces fonds sont de provenance malhonnête, certes, mais au fil des ans, je suis parvenu à changer ces francs en euros, ils sont propres désormais. Le magot est dans un casier d'un club de sport, je joins l'adresse et le code.

Ton père qui regrette, mais qui n'y peut rien. Bonne chance pour la suite.

Papa.

Anne replia la feuille et garda pour elle les réflexions que lui inspiraient ces remords aussi orgueilleux que tardifs et succincts. Elle ne laissa pas passer en revanche la pique qu'elle pouvait déraciner.

— Tu n'as pas été un mauvais mari.

— Si, bien sûr. Il avait raison. Je n'étais pas taillé pour le rôle.

Capestan secoua doucement la tête. Le moins que l'on puisse dire, c'est qu'elle avait eu le temps de reconsidérer leur histoire, depuis la mort de Serge. Dans le fond, elle avait agi comme son beau-père. Elle s'était renfermée et avait étouffé le moindre souffle de joie alentour. Elle laissait sa colère couver en permanence, latente, comme une menace, pour s'assurer le silence.

— Personne n'aurait tenu, Paul, parce que je ne le voulais pas. Ton départ n'était plus qu'une formalité. Légitime. Ton père a tort. Tu étais un excellent mari.

Capestan se concentra de nouveau sur les pigeons, les passants, la place, le vent, la pluie. Elle revint à Paul. Elle devait réunir des preuves de la bonne foi qu'elle-même acceptait comme une évidence.

— Tu as conservé l'arme ?

300

— Oui, j'ai tout : l'arme, le sac, la carte du club, mes chaussures pleines de boue...

Capestan songea soudain à ses propres marques autour du cou. Elle se pencha en avant :

— Tu permets ?

Le col roulé rabattu laissa apparaître de larges marques bleuâtres qui commençaient déjà à jaunir par endroits. Il ne fallait plus tarder. Mais effectivement, l'étau de Ramier avait pincé sans faiblir.

La situation, d'un strict point de vue factuel, devait pouvoir se plaider : Paul Rufus avait tué en état de légitime défense, les marques ne laissaient aucun doute. Le port d'arme, comme la volonté d'agir seul, étaient le fait d'un fils encore sous le choc du décès de son père et perturbé par les révélations de corruption qui y avaient aussitôt succédé. Par la suite, les aveux, spontanés malgré tout, avaient tardé, mais la situation émotionnelle était complexe : son ex-femme participait à l'enquête et ils venaient à peine de renouer lorsque Paul s'était trouvé face à Ramier. Perturbé, traumatisé, il n'avait su comment réagir à chaud. Mais la conscience revenue, il s'était livré volontairement et avait restitué aux autorités l'argent volé.

Ça se tenait.

Rosière ou Merlot dégoteraient les coordonnées de l'avocat le plus détesté des services de police, un de ces ténors qui hachent menu des mois de travail acharné dans le but de libérer des malfrats qu'ils n'aimeraient pas croiser ensuite dans une ruelle. Un homme providentiel.

Ça se tentait.

Capestan fit défiler le répertoire de son mobile et appuya sur l'icône d'appel.

— Bonjour docteur, commissaire Capestan à l'appareil. Seriez-vous disponible pour une constatation ?... C'est urgent. À la brigade. Merci beaucoup docteur, à tout de suite.

Capestan rempocha son téléphone, rassembla ses affaires et invita son mari à en faire autant.

— Je vais te placer en garde à vue, Paul. Ce n'est pas moi qui t'interrogerai, tu imagines bien. Mais ne t'inquiète pas, tu dis la vérité, sans dévier, et ça se passera bien.

Tout allait s'arranger. Il n'y avait qu'à avancer.

39

Lyon, banque Minerva, 4 août 1992

Serge avait menotté Ramier, il l'avait sorti de la banque et jeté sur le trottoir. Il serrait son pistolet dans son poing comme s'il avait voulu le réduire en cendres. De la main gauche, il attrapa le malfrat par le col pour lui parler près de l'oreille. Sa sueur tombait en gouttes sur les yeux de l'homme :

— Putain, mais qu'est-ce qui t'a pris ? T'es malade ! T'es une putain d'ordure ! Pourquoi t'as tiré sur cette femme et ce gosse ?

— La faute de Velowski, il avait pas réussi à abréger son rendez-vous. En plus, ce connard de petit banquier de mes deux a prononcé mon nom quand je suis rentré dans son bureau. C'est lui qui les a tués. Moi, j'ai juste tiré.

Serge lui envoya un violent coup de crosse dans le nez.

— Tu nous fous tous dans la merde. Je peux pas te laisser repartir, on n'y croirait pas, on se ferait tous gauler et le pognon avec. Alors écoute-moi bien, connard. Pour les autres, on fait comme prévu. Je laisse filer Jacques, et Alexis témoignera de travers. On te garde ta part. Tu fermes ta gueule, tu patientes en taule et à ta sortie, tu la récupères. Compris ? Tu m'as compris ? s'assura-t-il en le secouant.

Entre sa propre sueur, celle de Rufus et le sang qui coulait de son nez, Ramier parvint à articuler dans un sourire mauvais :

— Compris. On se revoit à ce moment-là. Je vous préviendrai juste avant.

Rufus le secoua de nouveau et le laissa retomber sur le côté.

Les sirènes hurlantes s'étaient stabilisées, les portières claquaient. Rufus sentait l'air déplacé par ses collègues qui couraient partout. C'était jouable. Serré, mais jouable.

40

Tels les lions parcourant leur savane ou les orques sillonnant les océans, les valises à roulettes filaient dans leur environnement naturel, celui pour lequel on les avait conçues : la banquise ultra-lisse de Roissy-Charles-de-Gaulle. Après les rugueux pavés et les trottoirs granuleux, elles donnaient enfin libre cours à leur puissance dans un silence ouaté.

Les policiers qui les pilotaient étaient beaucoup plus bruyants. Rosière, flamboyante figure de proue, avançait en tête, levant parfois son bras pour engager le troupeau à la suivre et ne pas la perdre, à l'image d'une guide touristique gagnant directement la *Joconde*.

Au contrôle, des collègues avaient reconnu Diament. Ils l'avaient approché, désignant Capestan : « Elle concourt au prix d'épouse du mois, ta patronne ? Plus fort que la pension : la prison. Il a pas divorcé de la bonne, le pauvre mec. » On n'avait pas entendu la réponse de Diament, mais les gars étaient partis.

Le sujet que personne n'osait réaborder de front avait été mis sur le tapis. Capestan se demanda si elle allait devoir repasser par une séquence d'explications et d'excuses, lorsque chacun se serait installé dans les fauteuils du terminal 2E pour patienter.

Dans le commissariat des Innocents, la brigade, à l'exception d'Orsini qui avait salué son entrée par une longue poignée de main, avait vu débarquer le mari de Capestan avec une stupeur mal dissimulée. Alors qu'à sa demande, Lebreton et Rosière se chargeaient de la garde à vue, la commissaire avait réuni l'équipe pour lui résumer l'arrestation, les faits, les tenants et les aboutissants de l'affaire. Les policiers s'étaient donné un mal fou pour prendre les choses avec naturel. Puis, toujours escorté de Rosière et Lebreton, le suspect avait été conduit directement à Buron au 36, quai des Orfèvres, qui s'était occupé du transfert au Parquet. Pour l'heure, ça ne se présentait pas trop mal et Anne commençait à souffler.

La brigade atteignit enfin les hautes verrières de la salle d'embarquement. Lewitz, toujours avec sa béquille, et Dax se précipitèrent sur deux rangées de fauteuils qui se faisaient face, écartant les bras pour réserver tout leur rang, tels des ados au multiplexe. Puis, une fois qu'ils furent tous logés avec au milieu les valises, les sacs à dos et les plastiques du duty free, Dax se leva pour céder la place d'honneur à la commissaire.

Rosière, qui par un curieux automatisme grattait son sac à main en l'absence de son chien non autorisé à visiter les USA, se pencha vers Capestan et balança les escarpins dans le plat avec sa simplicité ordinaire.

— Te bile pas, ma cocotte, vraiment. Paul, sa légitime défense, elle va passer velours. Avec le niveau du baveux qui gère son dossier, je parie sur un non-lieu, à la limite un peu de sursis.

— Un people au tribunal, les médias vont le déchiqueter, nota Évrard dont la diplomatie était plus incertaine.

— Au contraire, coupa aussitôt Rosière sur un ton averti. Au contraire ! Ça va lui faire un revival terrible ! En prime, avec sa belle gueule de matou, il va écoper de tous les rôles de flic et de truand, les machos du bankable ont du mouron à se tricoter. Le répertoire du rigolo, il va exploser.

— Pour l'image de la brigade, par contre, se lança Capestan, j'ai peur de vous avoir embringués dans…

— Oooh, mais on est blindés ! Hein, les gars ? harangua Rosière comme si elle réclamait un gospel.

Autour, les gars acquiescèrent sans réserve, ils étaient plus que blindés, ils évoluaient sous les cieux inaccessibles des blanches colombes et les crapauds n'avaient qu'à coasser entre eux. De toute façon, plus personne ne leur parlait depuis longtemps.

Après un coup de coude dans les côtes de Capestan, Rosière s'esclaffa :

— Et puis quoi, l'image ? Y a trois fois rien : on a encore sali un poulet avec les révélations sur Serge Rufus, notre commissaire a arrêté son propre mari, qui, soit dit en passant, avait sans doute bénéficié de ses informations…

— Non ! se cabra aussitôt Capestan.

— Ce sera dans la version couloir, je t'assure. Et pour ce mari, donc, finalement tout va s'arranger grâce à un avocat et une couverture média de VIP. Franchement, on n'est plus dans l'image, on est dans la légende ! Plus personne ne pourra rien contre nous.

« Les passagers du vol AF1810 à destination de Los Angeles sont invités à se présenter porte E31 pour un embarquement immédiat. »

Les policiers se levèrent d'un même élan, comme une seule brigade. Les valises reprirent leur trotte.

— Punaise, treize heures pour Los Angeles, et encore huit heures derrière pour Honolulu, on n'est pas arrivés, se lamenta Évrard.

— Ouais, mais en business, dévoila Rosière, sourire en coin.

— Oh trop classe ! Sans déconner ! J'aimerais tellement voir le cockpit…, se réjouit Lewitz.

— Et Torrez, il est où au fait ? s'inquiéta Dax.

Rosière tendit son passeport et sa carte d'embarquement, en même temps qu'elle répondait à cette légitime question.

— Ils ont pris un avion séparé avec sa famille. Pour pas qu'on s'écrase.

Épilogue

Avec un taux d'humidité avoisinant les soixante-dix pour cent, l'air semblait solide, on pouvait le respirer à la paille. Totalement disjonctés par le voyage, le décalage horaire et le climat, la plupart des policiers français avaient essoré leurs vêtements. Puis, pendant deux jours, ils avaient dévalisé les boutiques. Aujourd'hui, le nez pelé, ils portaient tous de larges chemises hawaïennes à grosses fleurs et petits palmiers.

Au pied du ring en plein air, ivres de maï-taï, ils levaient les mains, tapaient des pieds et encourageaient leur champion à grand renfort de beuglements et d'arguments pour la plupart rudimentaires. On arrivait au round décisif. Les sonos battaient leur plein. Des jeunes femmes en tenue locale spéciale show à gogos, pagne de branchages, collier et couronne de fleurs de tiaré, défilaient sur le ring en promenant les annonces des scores ou des pancartes publicitaires Philips. La Grande Finale du Fer d'Or 2012 affichait complet.

Les enfants de Torrez appliquaient les mêmes règles de retenue que la brigade, c'est-à-dire aucune. Mais leur père était mal engagé. Il affrontait le vainqueur des deux championnats précédents, une Canadienne d'un mètre quatre-vingts, qui semblait vouloir exploser sa table à chaque fois qu'elle abattait son fer. À côté, Bruce Lee sur ses briques faisait figure de restaurateur du patrimoine. Le générique retentit dans les enceintes saturées. Le plus jeune des fils de Torrez en tressaillit de stress. Les filles tiraient nerveusement sur leurs nattes, fixant le ring sans jamais cligner des paupières. Les deux aînés se poussèrent du coude pour se galvaniser. L'épouse du lieutenant, une brune ibérique au profil de médaille, se mordait l'intérieur des joues en veillant sur sa progéniture. Le round démarrait.

Torrez ferma les yeux une seconde avant le coup de sifflet. Ici, plus qu'ailleurs, il avait toutes ses chances. La compétition, en finale, changeait de braquet, on ne se contentait plus des chemises. Et pour ce défi-là, Torrez était prêt. Il s'entraînait depuis des années.

La Canadienne démarra avec une seconde d'avance. Faux départ, délibéré. Aucune importance, le lieutenant enchaîna, saisissant les chemises, les unes derrière les autres. Il prenait du retard sur cette manche, mais il tenait le rythme, vaille que vaille. Le visage en sueur, son tee-shirt trempé, plus concentré qu'un étoilé Michelin pendant le coup de feu, Torrez fignolait les cols, sans s'accorder le moindre répit. Sa challenger l'observait du coin de l'œil, elle avait pratiquement vidé son premier panier alors que Torrez n'en était qu'à la moitié. Un fin sourire se dessina malgré elle sur ses traits tendus par l'effort.

— Elle a niqué toutes ses boutonnières, tu vas la rattraper sur les statistiques, hurla Rosière, qui s'était documentée.

— Courage, mon garçon ! lança Merlot, fier de son camarade.

— Ouais ! Ouais ! Ouais ! Hip hip hip ! Ouais ! Ouais ! Ouais ! affirma Dax avec conviction.

— Ouais ! Ouais ! Ouais ! Hip hip hip ! Ouais ! Ouais ! Ouais ! confirma Lewitz.

Capestan, Lebreton et Évrard applaudirent à tout rompre pour encourager le lieutenant dans une mauvaise passe. Même Orsini se leva subitement pour lancer un « Allez ! » aussi expéditif qu'absent. Puis le capitaine se rassit aussitôt. Un blues tenace l'enveloppait depuis la résolution de l'affaire. Il avait trop cherché, trop attendu, et si peu agi au final. La vérité le laissait vide de questions mais empli d'une éternité à contempler son deuil sans dérivatif, l'irréversible plein champ.

Torrez attaqua enfin le second panier. Jusqu'au dernier rang du public, on sentit soudain qu'il libérait les chevaux. Les fins vêtements se succédaient sur sa table à une cadence effrénée, d'un geste d'expert il soulevait les manches, tournait les plastrons, ajustant la pointe de son fer au millimètre près. Ses cheveux tenaient dru dans la tourmente, brassant l'air de leurs mèches en désordre. D'un mouvement rapide de l'avant-bras, le lieutenant chassait parfois la sueur qui coulait, au risque de se brûler avec la centrale vapeur.

L'arbitre siffla la fin du match.

José Torrez avait rattrapé son retard et les paniers des deux adversaires s'étaient vidés au même instant.

— Les stat' ! Les stat' ! scanda le public.

L'arbitre saisit son micro et sa tablette.

— Nos deux challengers ont repassé exactement le même nombre de vêtements. Ce sont donc les statistiques des faux plis qui les départageront. Nous vous retrouvons dans quelques minutes.

Des experts montèrent sur le ring, pour commenter avec le plus grand sérieux chaque pile de linge qui s'offrait à leurs compétences techniques.

Le public bruissait des spéculations les plus folles et se rongeait les ongles par centaines. Enfin, les experts quittèrent l'arène et l'arbitre gominé put saisir son micro aussi fougueusement que le King à Las Vegas.

— Et voici donc les résultats tant attendus ! Statistiques faux plis sur les chemises : le Français José Torrez, cinquante et un pour cent, la Canadienne Martha Kitimat, trente-deux pour cent.

— Ooooh, souffla le camp français, tandis que son homologue canadien explosait de ravissement.

— Ce n'est pas fini, ce n'est pas fini, tempéra l'arbitre pour reconquérir l'attention. Vêtements pour enfants : Canada, soixante-huit pour cent ! France, zéro pour cent ! J'ai bien dit zéro ! C'est incroyable, messieurs-dames. Record battu ! Un fini parfait ! Que vous ne pourrez atteindre qu'avec la gamme des centrales vapeur Philips Pro en vente dans les grandes surfaces et magasins spécialisés ! Je vous laisse apprécier la précision.

Les dizaines de plis minuscules des smocks s'alignaient impeccablement, au-dessous de rubans finement noués, les grenouillères de coton peigné ne souffraient d'aucune trace autour des boutons-pression, l'arbitre exposait là de véritables œuvres d'art, les confiant au fur et à mesure aux jeunes Hawaïennes qui les faisaient défiler devant un public ébahi et éméché.

— Nous sommes donc heureux de déclarer vainqueur le Français José Torrez, notre champion 2012 du Fer d'Or Philips ! Une standing ovation, messieurs-dames !

Le lieutenant rayonnait. Ses enfants exultaient, sautant dans tous les sens, les uns sur les autres, ils se tapaient dans les mains et hurlaient leur joie à ce père champion du monde. Du monde.

Le boucan doublait, triplait chaque seconde dans l'enceinte française du public. Entre la famille, les collègues et les touristes de passage, on allait péter du décibel par milliers. C'était du moins l'impression qu'avait Capestan, complètement sonnée. Elle contemplait son binôme au visage plus ouvert que jamais, la silhouette trapue comme gonflée de bonheur. Elle était vraiment heureuse pour lui. Reconnaissante aussi pour cette virée entre collègues que leur avait offerte la généreuse, la royale Rosière à la faveur de cette finale peu commune.

La commissaire avait néanmoins du mal à apprécier l'événement à sa juste valeur. Elle ne savait trop si c'était le voyage ou, plus probablement, les circonstances et le retour difficile qui l'attendait à Paris, mais elle se sentait vraiment patraque. En plus, elle souffrait de nausées pas possibles.

Note de l'auteur

La finale du Fer d'Or Philips 2008 s'est bien déroulée à Hawaii. Pour les besoins de la narration, les règles et l'ambiance ont été modifiées. C'est néanmoins un Français qui l'a remportée, Christophe Hars, aujourd'hui excellent restaurateur à Issy-les-Moulineaux.

Lors de l'exposition pour le centenaire de la Police judiciaire sur le Champ-de-Mars, une vidéo suivait en effet le groupe Varappe en action. On y présentait également les différentes brigades de la Police judiciaire, et la photo évoquée dans le chapitre 31 s'y trouvait. L'auteur, en revanche, ignore totalement à quel groupe et à quelle personne appartenait le bureau représenté. L'attribuer à un commandant de la BRI est pure fiction.

Il y a bien des rats et des cochons dans la police. Pas en France, mais aux États-Unis, en Israël et aux Pays-Bas.

REMERCIEMENTS

Grâce à eux, j'ai passé une année qu'à côté Marie Curie recevant le Nobel elle a trouvé ça bof. Aussi et sans ambages :

Gratitude éternelle et affection indéfectible

À Francis Esménard, qui a collé des ailes d'albatros à mes petits poulets.

Aux forces très très vives d'Albin-Michel-Ma-Maison-d'Édition, qui les ont ensuite choyés, gâtés, confits.

Aux libraires, aux libraires, aux libraires, avec un clap clap de reconnaissance particulier à Fabien de Chantelivre, Christophe de Millepages et Pierre des Fables d'Olonne.

Aux lecteurs, aux lecteurs, aux lecteurs, aux blogueurs, Babelioeurs : la meilleure des brigades que je pouvais espérer. Sérieusement.

Au festival Quais du Polar, ses équipes, Hélène Fischbach et le jury du prix Polar en séries. Les Poulets ne pouvaient paraître sous de meilleurs auspices, ils en ont encore la crête droit dressée et les plumes tout ébouriffées.

Au jury et aux organisateurs du prix Arsène Lupin, qui ont revêtu ces mêmes volatiles d'une cape et d'un haut-deforme – ils en virevoltent toujours de joie, trop fiers d'une filiation si audacieuse.

À tous les salons, leurs organisateurs, leurs bénévoles, leur public, dont l'accueil m'a donné l'énergie pour écrire trente volumes supplémentaires. La bise spéciale à Lamballe, annulé remballé un si triste 14 novembre.

Aux journalistes et critiques, j'ai lu leurs articles avec un certain intérêt, puis je les ai encadrés, exposés, scannés, pliés dans mon porte-monnaie, envoyés à la moitié de la planète.

À Cosmo, ses chefs, ses équipes, mes amis, qui m'encouragent, autorisent mes absences, perdent aimablement à la pétanque et me préviennent quand y a un truc bon à la cantine.

Merci à ceux que j'ai déjà remerciés dans le premier roman, ça vaut pour le deuxième, je pense en particulier à Patrick Raynal le Grand.

Merci aussi à tous mes amis, copains, parents proches, éloignés, à mi-distance, tous ces passeurs de romans, relayeurs d'enthousiasme et partageurs d'infos orientées à souhait.

Et puis et puis et puis, un bisou spécifique à mes relecteurs de la première heure, mes privés perso rien qu'à moi, ceux dont chaque remarque ou annotation occasionne bonheur ou corrections acharnées : Anne-Isabelle Masfaraud (garante officielle de la cohésion de l'intrigue et du suivi des personnages), Dominique, Patrick et Pierre Hénaff (délégués aux bonnes fins, au droit, au foot et aux animaux), Chantal Patarin, Brigitte Petit, Michelle Hénaff, Chloé Szulzinger et enfin, parmi eux, un dernier merci à Marie-Thérèse Leclair, Isabelle Alvès et Marie La Fonta, dont j'ai sans vergogne pillé des épisodes de vie pour les remodeler comme ça me chantait. Je suis à peine désolée, mais vraiment très reconnaissante, ça compense.

Composition réalisée par NORD COMPO

Achevé d'imprimer en juin 2022 en Espagne par
CPI Black Print
Dépôt légal 1re publication : mars 2017
Édition 11 – juillet 2022
LIBRAIRIE GÉNÉRALE FRANÇAISE
21, rue du Montparnasse – 75298 Paris Cedex 06

35/5250/3